드넓은 운동장이 아닌
좁디좁은 사각형 프레임 안에
갇혔던 청소년들에게

전소윤

다빈.

민병헌

박서현

김진혁

Lucy

제3회 칭다오 경향도서관 문학상 수상작품집

나의 코로나 연대기 : 코로나 19 시대를 통과하며 깨달은 것들

대상 진소윤
최우우상 민병헌
우수상 임현지 정수인
본상
김민진 최서이 강수민 지다빈 서지오 김진혁 지유빈 박서현 조다빈 조형준

칭다오경향도서관

제3회 칭다오 경향도서관 문학상 수상작품집
나의 코로나 연대기 : 코로나19 시대를 통과하며 깨달은 것들
발 행 | 2023년 12월 20일
저 자 | 진소윤 민병헌 임현지 정수인 김민진 최서이 강수민 지다빈 서지오 김진혁
지유빈 박서현 조다빈 조형준
편 집 | 박건희
펴낸이 | 한건희
펴낸곳 | 주식회사 부크크
출판사등록 | 2014.07.15(제2014-16호)
주 소 | 서울특별시 금천구 가산디지털1로 119 SK트윈타워 A동 305호
전 화 | 1670-8316
이메일 | info@bookk.co.kr
ISBN: 979-11-410-6107-4
www.bookk.co.kr

제3회 칭다오 경향도서관 문학상
수상작품집

나의 코로나 연대기

코로나19 시대를 통과하며 깨달은 것들

목 차

프롤로그

소란搔卵이 된 소란騷亂한 시절

코로나19라는 바이러스가 우한이란 도시를 덮친 지 4년이 다 되어갑니다. 어디선가 시작된 이 불행에 전 세계가 잠식되었던 지난 시절을 우리는 '팬데믹 시절'이라고 부릅니다.

팬데믹 시절이 끝나가던 작년 연말은 최악이었습니다. 그렇게 피해 다니던 코로나19 바이러스를 피해 간 사람은 소수에 불과했고, 기본적인 해열제 하나 구하기 힘들어 발만 동동 구르던 기억이 납니다.

오래전 일처럼 느껴지고, 잠시 꿈을 꾸었던 거 같기도 합니다. 확진, 접촉자, 격리, 봉쇄, 핵산 검사, 이별 등 일상의 언어처럼 사용했던 말들이 이젠 구시대 죽은 언어처럼 느껴집니다.

오랜만에 코로나19 통계를 보려고 코로나 라이브라는 웹사이트에 들어가니 작년 5월부터 멈춰있었습니다. 작년 5월 기준으로 코로나19로 사망한 사람은 6,288,678명입니다. 숫자로 전환된 삶이 이렇게나 많습니다.

이렇게 많은 희생을 치른 시절에 우리는 무언가 느낀 것이 있었을 것입니다. 중국, 칭다오라는 도시에서 팬데믹 시절을 통과한 청소년들도 분명히 깨달은 게 있었을 거란 생각을 했습니다.

칭다오 청소년들의 글에는 고통의 시간을 담담하게 이겨낸 흔적이 보입니다. 운동장에서 실컷 놀아야 할 시절에, 수학여행의 추억을 쌓아야 할 시절에, 청소년들은 온라인 수업이라는 네모난 프레임 안에 머물게 되었습니다. 2024년 12월에도 여전히 독감과 폐렴으로 고생하는 이방인들이 많습니다. 그럼에도 불구하고, 청소년들은 기꺼이 팬데믹 시절을 추억할 정도로 단단해졌습니다.

14명의 청소년들의 코로나 연대기가 담긴 수상작품집을 출간합니다. 세 번째 칭다오 경향도서관 문학상에 심사를 맡아주시고 심사평을 실는 것을 허락해 주신 박연준 시인님께 감사드립니다. 용기 내어 자신의 경험이 담긴 글을 세상에 내놓은 수상자들에게도 감사드립니다. 수상작품집이 나오도록 도와주신 모든 기관과 단체와 학교와 개인에게 감사드립니다.

수상작품집이 팬데믹 시절을 겪은 모든 이들에게 위로가 되길, 소란騷亂한 팬데믹 시절에 깨달은 것들이 앞으로의 삶에 소란搔卵이 되길 바랍니다.

2023년 12월, 칭다오에서,

칭다오에 사는 이방인 박건희.

대상 수상작

그리운 일상

진소윤(사립칭다오교주영자학교 국제부 해랑학교 12학년)

우리는 평생 돌아갈 수 없는 일상을 그리워하며 살게 될 것이다.

칼이 스쳐 지나간 자국을 어루만지며 지금까지 고통받고 있다. 인류에게 있어 상처가 하나 더 생겼지만, 그 또한 아물어 가듯 우리는 점차 익숙해지며 살아간다.

두꺼운 외투를 껴입고 마스크를 끼고 과장 조금 보태서 몇 주 동안 집 밖을 나가지 않은 그 시절의 나는 더 이상 존재하지 않는다. 종일 무언가를 바라보다, 시간을 내버리며, 끝이 없는 결말을 기다렸다. 텔레비전으로 바라보던 세상은 시끌벅적하지만 정작 밖에는 사람은커녕 아무런 빛조차 들어오지 않았다. 그렇게 적막만이 맴돌면 생존의 문제를 직접적으로 마주한 기분이라 두려웠다. 이전까지 미처 알지 못했던 일상적인 것들이 갑작스럽게 우리의 목숨을 위협할 정도까지 온 것이니까. 우리는 자신의 건강을 다시 한번 새롭게 인식하게 되었다,

이런 경험은 처음이었기에. 그전까지만 해도 감기에 걸리면 그저 며칠 후에 낫는 병이라고들 인식했다. 하지만 이젠 기침만 해도 서로가 불편해지고, '혹시 저 사람이 코로나19에 걸리지 않았을까?'라며 의심하고 불신하게 되는 내 모습은 달갑지 않았다. 주변 마트에 손소독제가 동나서 구하지 못한 기억까지 난다. 우리는 그 어느 때보다 예민했었고, 인류에게 큰 도전과 시련을 안겨주었다. 이 점에서 우리는 많은 것을 배웠고, 깨달았다. 이 긴 밤이 끝나면, 우리는 새로운 아침을 맞이하게 될 것이라고 믿었다. 그리고 우리의 내면에는 크고 작은 변화를 느끼고 새로운 감정들을 배웠다. 이런 감정들을 되새기게 될 날이 온 것 보니 아무래도 잘 버텼나보다 싶다.

그리고 이건 혼자만이 해결할 수 있는 문제가 아니다. 모든 사람이 함께 싸워야 한다는 사실을 느꼈다. 결국 '사회적 거리 두기'와 '마스크 끼기' 이것들 또한 나를 보호하기 위해서지만 타인을 위한 것도 있다. "내가 무증상 감염자면 어쩌지?", "내가 감기에 걸린 것이 아니라 코로나19일까?" 이런 생각들을 종종 한 것 같다. 사레가 들려서 기침할 때도 조마조마했었다. 이것은 나만이 느낀 것이 아닐 것이라 믿는다. 나 자신과 다른 사람들을 보호하는 일종의 연대 의식이다. 우리는 서로를 생각했었기에 더욱 조심했고, 타인을 존중하는 법을 다시금 알게 만들어 주었다.

그런 우리 모두의 생활에도 큰 변화가 생겼다. 멀리 갈 필요도 없이 주변만 봐도 알 수 있다. 그전에는 생소했던 '비대면'이라는 단어가 이제는 빠져서는 안 될 단어이다. 비대면 수업, 비대면 모임, 심지어 비대면 졸업식 등. 우리의 인생에서 다신 없을 추억들을 네모난 상자를 통해 기억에 새긴다. 먼 훗날 내 인생을 몇 시간의 영화처럼 요약하는 것이 현실에서 충분히 일어날 수 있다는 것이다. 과연 이런 현상들이 우리에게 좋은 영향을 가져다주는지 의문이 들기도 한다. 그렇게 사람들과 마주 보게 되는 일은 점점 줄어간다. 이미 많은 곳에서 무인 가게가 운영되고 있고 사람의 손길이 닿는 곳은 싸늘한 금속으로 대체되며 우리의 감정까지도 영향을 준다. 코로나19 시대 이후에 시대는 결코 우리가 이전에 살던 시대와 같다고 생각하지 않는다. 서로서로 생각하다가 끝내 소통을 단절하는 것을 미덕이라 여기는 세상이 온 것이다. 하지만 나는 이런 변해가는 세상을 감히 반대해 본다.

우리는 이런 생활에 익숙해져서는 안 된다. 아무리 편리해도, 익숙해도, 이전처럼 모두가 함께 모여 만들어 낸 기억과 열기는 그 어떤 것이라도 모방을 해낼 수가 없다. 그리고 우리는 하나로 뭉치려고 한다. 각종 공연과 여행 모두 파멸적인 타격을 입었으나, 이제는 한둘씩 정상적으로 진행되기 시작한다. 눈을 떠서 가족과 대화하는 대화, 학교에 가서 친구들과 나누는 이야기, 혹은 행사에 참여해서 모든 사람이 한마음이 되어서 내뿜는 에너지. 오로지 인간만이 만들어 낼 수 있기에 나는 생각한다.

내가 코로나19 시대를 통과하면서 깨달은 것은 바로 사람과 사람의 관계다. 지금 우리가 대화를 나누는 이 순간에도 세상은 변해가고 있지만 한 가지만 변치 않았으면 한다. 바로 마주 보며 이야기하는 것이다. 그 무슨 일이 있어도 사람과의 감정은 가치를 매길 수 없다고 생각한다. 나는 깨달았다, 내 옆에 있는 사람을 눈앞에서 생생하게 볼 수 있다는 것이 축복인 것을. 내가 살아 숨 쉬고 움직이는 것이 얼마나 귀중한 것인지를. 이번 위기는 우리의 존재에 대한 의문을 던지게 했다. 우리는 외로움 속에서 자아를 발견하는 기회를 가졌다. 공동체에서 멀어지고, 가족과 함께 시간을 보내는 동안 우리는 무엇이 중요한지에 대해 다시 생각할 수 있었다. 세상이 바뀔 때마다 우리는 우리 자신과 싸움을 하며 성장하게 된다. 이번 위기 역시 우리를 더욱 성숙하고, 강인하게 만들었다.

마지막으로, 코로나19 시대는 우리에게 희망의 빛을 비추었다. 우리는 어둠 속에서도 그 어떤 빛보다도 더 밝게 빛날 수 있는 힘을 발견했다. 분단된 우리는 다시 하나로 합치는 길을 앞으로 찾아낼 것이며, 우리는 함께 힘을 기울여 세상을 새롭게 만들 수 있다. 인류는 하나가 될 수 있다는 것이 바로 우리의 지혜와 의지이다. 이러한 기회는 우리가 더욱더 책임감 있는 시민이 되라는 명령으로 이어지며, 우리의 꿈과 희망을 실현할 기회로 다가올 것이다. 우리는 이 빛을 분명히 보고, 꿈과 희망을 품고 당당하게 행동해야 한다. 우리는 이제 새로운 아침을 맞이하기 위해 동화된 마음으로 나아가야 한다.

우리의 인류는 앞으로도 연대를 해 나갈 수 있을 것인가? 아무래도 그건 우리의 손에 달린 것 같다.

작가 소개

1. 작가 소개

안녕하세요, 진소윤입니다. 현재 청소년의 끝자락을 향해 달려가는 중입니다.

2. 수상 및 참가 소감

작가로서 책을 출간하는 것은 두 번째이지만, 여전히 익숙하지 않습니다. 이 기분은 시간이 지나도 변치 않을 것 같네요. 제가 쓴 글이 불특정 다수에게 보인다는 느낌은 언제나 새롭습니다. 내가 글을 쓴다, 그리고 하나의 작품으로 세상에 내보인다. 어떤가요? 복잡하고 어려워 보이지만 사실 누구나 이뤄낼 수 있습니다. 제가 해냈듯이 여러분들에게도 도움을 드리고 싶습니다. 일단 글을 쓰세요, 그렇다면 기회가 찾아올지도 모릅니다. 작가들을 위해 자리를 마련해 주신 수많은 청소년분들과 칭다오 경향 도서관에게 감사하다고 전하고 싶습니다. 소망을 담아낸 글인 만큼 독자분들도 원하는 바를 이루어내셨으면 좋겠습니다.

3. 앞으로 어떤 글을 쓰고 싶어요?

저는 환경에 관심이 많습니다. 이 자리를 빌려 한 마디를 남기고 싶습니다, 미래는 저희가 만들어 나가는 것입니다. 그렇기에 환경에 관한 글을 쓰고 싶습니다.

신작

<뿌리>

보잘것없는 새싹이
고개를 들어 숨을 쉰다

누가 밟을쏘냐
바람 따라 유영하며
겨우 살았네

맑은 천 위에
칠흑빛 커튼을 치면
비로소 잠시 쉬네

만약 그 누가 밟더라고
뿌리까진 흠집 내지 못할 테니
봄이 내게 속삭일 때까지
계속 고개를 드네

최우수상 수상작

나와 우리의 이야기

민병헌(청도이화한국학교 8학년)

저는 운이 좋은 사내입니다. 바람이 흘러가는 대로 몸을 일으켰더니 천하막적이 저를 피해 갔습니다. 저는 그 누가 오더라도 이겨낼 자신이 있었습니다. 아찔한 외줄타기를 하듯 걸어가던 저는 가끔씩 넘어질 때도 있었지만 끝 끝내야 이겨내고야 말았습니다. 저는 군민들과 학우들을 벼랑 끝으로 몰아넣었던 병균 코로나는 무섭지 않았습니다. 그리하여 역설적이게도 저는 병균 코로나를 두려워했습니다. 이건 코로나19 사태를 겪은 저의 이야기이자 모두의 이야기입니다.

미지란 무엇일까요? 사전적 정의로는 아직 알지 못한 무언가를 뜻합니다. 여기서 우린 '아직'이라는 말에 집중해야 합니다. '우리'의 입장에서 '아직' 모른다는 말은 이미 알고 있는 누군가가 존재한다는 뜻입니다. 이는 코로나 발발 초기를 표현한 것입니다. 코로나바이러스 발발 초기, 대부분의 사람들은 무지하였습니다. 군민들은 코로나라는 미지가 존재한다는 사실을 일절도 알지 못하였고 설령 알았다 하더라도 외면하고 지나쳤습니다.

폭풍이 온다고 하여 창문을 굳게 잠그고 숨는 게 만사가 아닙니다. 여러 수단을 이용하여 폭풍의 정도를 알고 자신의 여유에 맞게 숨어야 합니다. '적을 알고 나를 알면 백전백승'이라는 말을 대부분의 사람들은 알고 있을 것입니다. 다만 은밀하게 귀신처럼 다가온 코로나에 대하여 알지는 못하였습니다. 중국에서 만발한 재앙의 씨앗. 이는 섬광처럼 한반도, 우리의 고향 땅을 덮쳐왔습니다. 당시 저는 일 년에 4분의 1에 해당하는 긴 연휴를 맞이하여 고향 땅을 밟았습니다. 불가피적인 재앙이 다가오고 있다는 사실도 모른 채 말입니다. 하지만 하늘이 도우신 건지 재앙이 한반도를 감싸기 전에 저는 빠르게 이 땅, 산둥반도에 도달하였습니다. 그렇습니다. 저는 자신조차 인지하지 못한 사이에 운이 좋은 사내가 되어있었습니다.

한차례 혼돈의 아비규환을 운 좋게 피해 가니 저의 자신감은 극을 찌르고 있었습니다. 아니, 지금으로서 생각해 보면 자신감이 아닌 자만감이라는 말이 더 어울릴 것입니다. 상대적으로 미숙했던 당시의 저는 사춘기 소년이 겪는 특유의 오만함이 몸에 깊게 배어 있었습니다. 똥인지 된장인지 찍어 먹어봐야 하는 놈. 그게 저였나 봅니다. 수천 리를 걸쳐서 저잣거리에서 소문으로 들은 게 전부였으니 코로나 따위 쉽사리 여겼습니다. 고향 땅에서 벗어나지 못한 학우들의 고통 또한 이해 불가한 영역으로 치부하였습니다. 직접 겪어보기 전까진 말입니다. 마스크를 착용하는 게 일상화될 무렵 저는 설렁설렁 해댔습니다. 답답한 마음에 마스크를 집어 던지고 살아갔습니다. 이게 제 시련의 시작을 알리는 신호탄이었나 봅니다. 운이 다한 것인지, 신께서 천벌을 내리신 건지 코로나바이러스를 크게 한번 앓았습니다. 이틀 연속으로 미음만 먹어야 하는 끔찍한 현실, 부동의 자세를 유지해도 식은땀이 좔좔 흘렀습니다. 인과응보, 딱 저를 표현하는 말이었습니다. 원숭이도 외나무다리에서 떨어진다더니, 튼튼한 몸만 믿고 설치다 넘어진 저의 꼴이었습니다. 저는 당시 짧다면 짧은 시간 동안 많은 걸 강제로 느끼게 되었습니다. 이 시간은 저는 과이불개란 마음을 버려버리고 타인을 이해할 줄 아는 마음을 가지게 되는 여러모로 교훈의 시간임과 동시에 크나큰 시련의 시간이었습니다.

타인을 이해하는 마음을 지녔다 해서 답답한 마음이 사라지는 것은 아닙니다. 코로나에 의한 피해는 육체적, 물리적 고통뿐만이 아닌 정신적 피해도 동반하였습니다. 잠시였지만 오랜 시간을 동반한 징글징글한 학우들과 강제로 떨어져야만 했습니다. 집에서 학우들의 목소리가 들리지만 생기는 찾아볼 수 없었습니다. 기나긴 시간을 걸쳐 학우들과 다시 만나게 된 날, 형식이 다를 뿐 인터넷상으로 수업하던 때와 비슷한 불편함이 생겨났습니다. 매일 같이 형식적, 의무적으로 이뤄지는 코로나 검사인 '핵산 검사'. 검사를 받으면서도 코로나를 예방하는 검사라는 생각 따윈 들지 않았습니다. 이번엔 오만함이 아니었습니다. 가정용 면봉으로 입천장을 2번 톡톡 두드리는 단순명료한 행위. 이게 핵산 검사의 전부였습니다. 하지만 이를 제외하면 모든 게 정상적으로 운영되었기에 크게 신경 쓰지 않기로 하였습니다.

네, 맞습니다. 코로나가 종식되고 있다는 희망의 증표였습니다. 코로나에 풍파를 이겨내지 못한 학우들, 어른 여러분, 제가 이런 말을 할 자격이 있는지는 모르겠습니다. 하지만 이런 말밖에 해줄 수 없다는 사실은 압니다. 징글징글한 코로나와의 인연은 이제 막을 내렸습니다. 저처럼 운이 좋았었던 분들도, 코로나의 고통을 겪었던 분들도, 학우들과 생이별을 겪었던 분들도 이제는 다 잊어 주시기를 바랍니다. 우리에겐 아직 휘황찬란한 미래가 기다림과 동시에 저희를 바라보고 있습니다. 이 글은 저의 코로나 연대기이자 여러분의 추억을 마지막으로 회상시켜 드리는 사진이자 짐을 덜어드리기 위한 카트입니다. 앞으로 나아가십시오. 행운을 빕니다.

작가 소개

1. 작가 소개

2009년 11월 1일생. 중국 산둥반도에 위치한 청도이화한국학교에서 학업 중.

2. 수상 및 참가 소감

얼떨결에 담임 선생님의 추천으로 참가하게 된 대회에서 제 글을 좋게 봐주신 심사위원분들께 감사 인사드립니다. 앞으로도 더 좋은 글로 보답하겠습니다.

3. 앞으로 어떤 글을 쓰고 싶어요?

계획은 없지만 만약 쓰게 된다면 지금보다 더 어릴 적부터 즐겨 읽던 판타지 장르에 도전해 보고 싶습니다.

신작

<야시장>

그리운 고향 땅으로부터 상대적으로 가깝게 자리 잡은 이 땅에는 독특한 전통이 있습니다. 과거 살인적인 더위로부터 살아남기 위해 발버둥 치던 선조들의 지혜가 듬뿍 담겨있는 유구한 전통. 서늘한 야간에 상인들이며, 군민들이며 너도나도 할 것 없이 모이는 왁자지껄한 시장. 그것이 야시장입니다. 값싼 가격으로 사람의 정을 느낄 수 있는 곳. 이 땅의 규모에 걸맞은 크기. 이 나라 특유의 식료품은 물론이요, 자국의 향기마저 느낄 수 있는 곳. 그곳 또한 야시장입니다. 너도나도 처음 야시장을 접하면 반사적으로 갈채를 보냅니다. 현대식 동남아산 코코넛으로 목을 축이며, 구운 오징어를 뜯던 그날의 기억을 잊으려야 잊을 수가 없습니다. 모두 한번 놀러 오십시오.

우수상 수상작

나의 새로운 시작

임현지(칭다오청운한국학교 9학년)

Chapter 1. 낯선 이별

평범했던 우리들의 일상에 풍파를 겪게 한 존재, 코로나. 코로나는 거의 모든 이들에게 좋지 않은 기억으로 남아있는 그런 악마 같은 존재일 것이다. 그러나 코로나는 내게 아픈 기억만을 남기지는 않았다.

생각해 보면 어린 초등학생일 뿐이었던 내가 추운 겨울에 아빠의 옆에서 신종 바이러스에 관한 뉴스를 본 날 느꼈을지도 모른다. 뉴스뿐만 아니라 각종 매체 그리고 모든 사람의 입에서 회자하였던 코로나는 어린 나에게도 불안감을 주기에는 충분하였다. 그 불안감은 아빠와 뜻하지 않은 이별로 현실이 되었다. 모든 나라마다 빗장을 잠그고 중국도 예외 없이 빗장을 잠가버렸기 때문에 잠시 다녀오겠다던 아빠의 모습은 언제 돌아올지 모르는 긴 이별이 되었다.

3년이라는 긴 시간이 지나 나타난 아빠의 모습은 서로에게 처음에는 낯섦으로 다음에는 반가움으로 그리고는 이내 서러움이 되어 누가 먼저인지 모르게 눈에는 3년의 그 세월을 씻어내듯 눈물이 흘러내리고 있었다.

초등학생이었던 나는 중학생이 되어버렸고 내게는 세상 누구보다도 강해 보였던 아빠의 모습은 안쓰러운 모습에 주름만 깊어져 있었다.

영상통화를 통해 늘 보아왔던 아빠이기에 낯설지 않을 것 같았는데, 아빠와의 만남은 낯설기만 하였다.

Chapter 2. 새로운 시작

아빠에게는 어떤 마음이 있었을까? 미안함일까?

나의 기억 속의 아빠는 항상 분주하고 바쁜 아빠였다. 틈틈이 놀아도 주고 시간도 같이 보내주는 따스한 아빠였지만 일주일에 같이 보내는 시간은 주말 정도였던 것 같다.

하지만 긴 시간이 지나 코로나가 끝난 후 다시 내 곁으로 돌아온 아빠는 퇴근만 하면 집으로 바로 오신다. 어쩌다가 늦는 날이면 오히려 나에게 전화해서 "늦어서 어떻게 하지"라며 묻고는 하실 때가 있다. 내가 "아빠 나 학원 있어서 어차피 늦어, 괜찮아"하고 대답을 해도 아빠는 "일 끝나면 빨리 갈게"라며 괜히 미안해하고는 하신다.

아빠는 주말이면 놀러 가자는 말도 자주 하신다. 이것이 평범한 가정의 모습일 지도 모르지만 보통 아빠들은 돌아다니지 말고 공부해라. 이런 말을 하는 게 평범하다고 난 생각해 왔다.

아빠의 변화는 나를 위한 노력이라는 것을 잘 알고 있다.

3년 동안 아빠는 한국에서 어떤 일들을 겪었을까? 직장도 새로 구해야 했을 아빠의 삶은 결코 편한 세월은 아니었을 것 같다. 아마도 나처럼 아빠도 많이 외롭고 공허하지 않았을까? 게다가 나는 엄마와 함께였지만, 혼자 버티셨을 아빠를 생각하니 아빠가 더 안쓰러워 보였다.

코로나 팬데믹으로 세상은 많은 것들이 변했고, 수많은 사람이 피해를 보기도 했고, 아주 일부의 사람들에게는 기회가 되기도 했을 것이다. 내게 코로나는 그저 귀찮고 불편하고 두렵기만 한 존재였다. 하지만 콧노래를 부르며 김밥을 싸고 있는 아빠의 뒷모습을 보면 코로나가 내게 긴 겨울의 터널을 지나 봄이 오듯, 우리 가족에게는 사랑이라는 선물을 준 듯하다.

Chapter 3. 코로나가 내게 준 깨달음

아빠와 떨어져 있던 3년이라는 짧다면 짧고 길다면 긴 그 세월이 아빠에게는 어땠는지 물으면, 아빠 역시 가족이라는 의미와 딸이라는 의미가 더 소중해졌다고 하셨다. 이와 더불어 아빠는 못 본 사이에 내가 숙녀가 되었는데 그 과정을 함께 해주지 못한 것에 괜스레 미안하다고 하셨다.

오랜만에 만난 아빠와 이런저런 이야기들을 나눌 때 아빠는 아직 길을 찾지 못한 나에게 여러 가지 조언을 해주시면서도, 삶이 정 힘들면 그냥 아빠 딸로 살아도 된다고 위로해 주셨다. 나는 아빠가 나를 위해서, 또 우리 가정을 지키기 위해서 3년

동안 고생을 하셨을 거란 걸 알기에, 항상 자랑스러운 딸이 되고 싶다는 생각뿐이었다. 지금 그 마음은 변치 않았지만, 아빠의 그 말을 들으니, 나는 왠지 모를 편안함을 느꼈다. 아빠가 우리 아빠인 게 너무 다행이고 감사하다.

어릴 적의 나는 나의 평생을 함께해 왔던 아빠가 내 곁에 있는 것이 당연하다고 생각해 왔었고, 앞으로도 그럴 것이라고 여겨왔다. 하지만, 코로나를 겪으며 아빠와 난생처음 이별이라는 것을 경험해 보면서, 아빠에게 그리움이라는 감정을 끊임없이 느껴보며 비로소 아빠의 소중함을 깨닫게 되었다.

춥고 고달프게만 느껴졌었던 세 번의 겨울들을 지나, 이제는 나에게 적당한 온도의 겨울이 찾아왔다. 그리고 내 옆에 있는 아빠의 따스한 미소는 마치 내게 이 겨울이 지나고 나서도 더 포근한 봄이 오리라는 것을 알려주는 것만 같다.

지나가고 나서야 그 봄이 좋은 줄 알았지, 막상 겨울이 지나 봄이 왔을 땐 몰랐다. 그렇지만 지금의 나는 그 봄의 따스함이 얼마나 소중한지 알기에, 봄이라는 계절을 더 반갑게 맞이할 수 있을 것 같다.

Chapter 4. 앞으로의 우리

세상에 영원한 건 없다지만, 아빠와 나만의 서로에 대한 애정은 영원할 것이다. 언제 무슨 일이 일어날지 모르는 이 각박한 세상에서 아빠만 내 곁에 있다면 나는 그 사실 하나만으로도 위로와 안정을 느끼지 않을까 싶다.

정 힘들면 그냥 아빠 딸로 살아도 된다는 아빠의 진심이 묻어나는 토닥임은 나의 앞으로의 남은 인생에 나타나는 모든 시련들을 이겨낼 수 있을 것만 같게 한다. 아빠가 나를 얼마나 사랑하는지 알기에 아빠의 딸이라는 사실 하나만으로 모든 걸 충분히 견뎌낼 수 있을 것이다.

작가 소개

1. 작가 소개

 안녕하세요, 저는 칭다오청운한국학교에 재학 중인 열여섯 살 임현지입니다.

2. 수상 및 참가 소감

 시험 기간이기도 했고, 여러 가지 해야 할 일들이 많아서 사실 처음에는 글을 써내기까지 조금 망설여졌었습니다. 하지만 저는 글을 통해서 제가 느낀 감정들을 써 내려가는 그 과정 자체가 너무 즐겁고 행복했기 때문에 다시 한번 도전해 봤던 것 같습니다.

 이번 문학의 밤 주제가 '나의 코로나 연대기'라는 저에게는 많은 의미가 있는 주제였습니다. 제가 코로나 시기를 보내면서 느낀 모든 감정과 깨달음들을 저의 글에 모두 담아낼 순 없었지만, 저의 글을 진솔하게 봐주시고 알아봐 주신 박연준 시인님과

박건희 관장님께 정말 감사하다는 말씀을 드리고 싶습니다.

3. 앞으로 어떤 글을 쓰고 싶어요?

  많은 사람들이 공감할 수 있는 글을 쓰고 싶습니다. 저 역시도 힘들 때마다 다른 작가님들이 쓴 글을 보면서, 제가 느끼고 있는 이 감정이 다른 사람도 느끼는 감정이라는 것을 깨닫고 많은 위로를 받았었습니다. 그렇기 때문에 저도 다른 사람에게 위로가 되기도 하고, 때론 즐거움이 되기도 하는 그런 공감이 되는 글을 쓰고 싶습니다.

신작

<첫사랑>

오래된 책 사이에 껴있던

긴 시간을 끌어안은 사진 한 장이

나를 바라본다.

먼지를 털고 보니

오래전 너와 찍은 사진이더라.

빛바랜 테두리 안의 너의 얼굴은

긴 시간 살아온 세월의 나를 보게 하고

너와의 아련한 추억은

빛바랜 사진 한 장으로 남아 나의 기억을 헤집고

들어와

너의 미소로 나를 채운다

우수상 수상작

이 세상에서 가장 공평한 것

정수인(사립칭다오교주영자학교 국제부 해랑학교 9학년)

코로나로 인해 나의 삶이 많이 변한 것 같다. 물론 삶보다는 나 자신이 말이다.

2019년 8월 10일이 코로나 전 내 마지막 여행이었다. 그때의 여행이 아직도 생생하게 기억난다. 나, 엄마, 내 동생, 그리고 이모랑 사촌 언니와 함께 말레이시아로 두달 간의 긴 여행을 했다. 말로 다 설명할 수 없는 잊지 못할 추억들을 쌓고 돌아왔다. 그렇게 말레이시아에서 돌아온 후 나의 인생이 180도 바뀐 기분이 든 사건이 터졌다. 바로 코로나라는 바이러스가 전 세계로 퍼졌다는 뉴스를 접했다. 처음에는 '바이러스? 뭐 금방 잔잔해지겠지'라고 생각했지만 4년이 지난 지금까지도 잔잔해졌다고 말하기는 어렵다. 오늘 쓰면서도 다시 한번 깊은 고민에 빠졌다, 내가 과연 이 4년을 허무하게 보냈는지, 아니면 이 4년을 통해서 내가 더 성장했는지 말이다.

우선 나를 이야기하기 전에 우리 사촌 언니 그리고 사촌오빠에 대해서 이야기 하고 싶다. 이번 여름방학 때, 나는 코로나 이후 처음으로 한국에 다녀왔다. 언니가 많이 변했다, 물론 오빠도 말이다. 나보다 훨씬 작았던 언니가 나보다 머리 하나가 커져 있었다. 얼굴도 굉장히 예뻐졌다. 그리고 내 시선이 문득 언니의 발톱에 가 있었다. 언니의 발은 시퍼렇게 멍이 들었다. 내가 언니를 바라보자 웃으면서 "아..무용하다 다친 거야 신경쓰지마 괜찮아!"라고 답했다 난 다시 물었다 "언니 무용했어?" 언니는 예상한 대로 "응"이라고 답했다. 언니의 큰 키, 예쁜 얼굴, 그리고 발에 난 멍 모두다 코로나의 뒤에 가려진 언니의 노력과 성장이 아닐까 하는 생각이 들었다.

그리고 그다음 주, 우리는 사촌오빠 집으로 향했다, 가는 내내 오빠와 놀 생각에 한껏 들떠있었다. 나는 사촌 중에서도 사촌오빠랑 가장 친했다. 매일 텔레비전 앞에 모여 게임하고, 한 담요를 같이 덮으면서 영화도 보고, 놀이터도 가고, 나에겐 굉장히 애틋하고 아끼는 사촌오빠다. 하지만 정작 집에 도착했을 때는 오빠가 보이지 않았다. 나는 실망한 마음을 억누르고 큰엄마한테 여쭈어봤다. "큰엄마, 오빠 어디 갔어요?" 큰엄마의 대답은 나를 한참 동안 생각에 잠기게 했다. "오빠 연습실 가서 연습하고 온대, 아마 두 시간 뒤면 오지 않을까?" 맞다, 오빠의 꿈은 아이돌이었다. 지금은 꿈을 향해 살도 빼고, 몸도 많이 건강해졌다. 그리고 엄청나게 잘생겼다. 그렇게 오빠를 턱 빠지게 기다리다, 오빠가 도어락을 누르는 소리를 들었다. 나는 신나서 달려갔지만 정작 내가 마주한 건 지친 오빠의 모습이었다.

오빠는 웃으면서 날 반겨주었지만 무슨 힘든 일이 있었는지 애써 웃는듯한 느낌을 받았다. 그래도 오빠를 봐서 너무나도 반가웠지만 예전처럼 선뜻 다가가기는 어려운 오빠였다. 만나면 예전처럼 재밌을 줄 알았는데 정작 거실에는 어색한 공기만 떠돌았다.

집에 돌아온 나는 한참 동안 방안에서 울었다. 왜 우는지는 나도 모르겠다. 그래도 나름 재밌는 시간을 보냈지만, 오빠의 성장한 모습이라고 해야 할까, 오빠의 완전히 달라진 모습을 보고 내가 많이 놀란 것 같다. 그날 이후로 나는 매일 밤 생각에 잠겼다. 이 4년을 허무하게 보낸 것만 같아 나 자신에게 의심도 들었다. 나는 사진첩에 있는 예전 사진들을 정리하며 미소를 지었다. 보면서 내가 언제 이렇게 컸지 라는 생각도 들고, 내가 과연 현명하고 멋진 어른이 될 수 있을지도 말이다. 또 어느 날은 내가 커서 무엇을 할지, 무엇을 해야 내가 행복하면서도 원하는 삶을 살 수 있을지 이런저런 고민을 나도 몰래 많이 한 것 같다. 어렸을 때는 없었던 공부에 대한 욕심, 그리고 이성에 대한 관심, 지금은 누구보다도 생각을 많이 하고 있는 것 같다. 내가 성장을 했는지 안 했는지는 이제야 확신이 드는 것 같다.

나는 성장했다. 그 누구보다 많이. 어느덧 미래에 대한 고민을 하고 있는 내가 예전의 나로부터 한 발짝 성장하고 나아가지 않았을까 확신한다. 전에는 코로나가 마냥 나의 삶을 빼앗은 것만 같아 화나고, 속상하기만 했지만. 나는 이제야 깨달았다. 이 세상에서 우리 인간에게 주어진 가장 공평한 것은 시간이다.

주어진 시간이 짧든 길든. 그 주어진 시간 안에서 내가 어떻게 보내는 지가 가장 중요하다. 그 시간을 허무하게 쓰나, 의미 있게 쓰나, 모두 우리의 손에 달렸다.

작가 소개

1. 작가 소개

저는 칭다오 해랑학교를 다니고 있는 학생 정수인 입니다. 올해 15살이고 친구들과 이곳저곳 놀러 가는 곳을 좋아하고 세계 여행을 다니는 것도 정말 좋아합니다.

2. 수상 및 참가 소감

좋은 기회를 통해서 문학의 밤이라는 대화를 처음 참가해 봤습니다, 아무 기대 없이 글을 써서 냈지만 정말 감사하게도 좋은 평가를 받아 지금 여기까지 오게 된 거 같습니다. 평소에 글 쓰는 것을 되게 귀찮아하고 안 좋아했지만 이번 기회를 통해 또 제가 잘하는 게 무엇인지 알게 되었고, 감사한 시간이었습니다.

3. 앞으로 어떤 글을 쓰고 싶어요?

앞으로는 사람들에게 힘들 때마다 버팀목이 돼주고 나의 인생이 절망적이고 깜깜할 때 한줄기에 빛 같은 존재가 되는 글을 쓰고 싶습니다, 저도 가끔은 불안하고, 극도로 불안할 때는 손톱을 피 날 때까지 물어뜯는 경우도 있었습니다, 그럴 때마다 저에게 힘이 돼주는 말과 마음가짐 그리고 제 생각을 전하고 글을 써서 전하고 싶습니다.

신작

<그림자>

그림자가 늘 함께하는 우리의 길
빛과 어둠이 만나는 세상에서
소리 없이 춤을 춘다
아침햇살에는 길게 뻗고
저녁 해질녘에는 튼튼해지고
우리가 쫓는 빛을 끊임없이 일깨워주고
모든 시간과 공간의 동반자이다
가끔은 우리를 위로해주고
또 가끔은 우리의 비밀을 지켜준다
그림자는 어둠 속에서도 빛나는 존재
우리의 편이 되어준다
어둠의 깊은 곳에서 아름다움이 발견되고
그림자의 영역에서 당신의 영혼이 풍부해진다

본상 수상작

겨울이 지나고 찾아온 봄

김민진(청도대원학교 7학년)

아무것도 없는 공허한 우주에 빅뱅이 일어나

은하계와 행성이 생겨나고

지구라는 행성이 탄생했다

그 지구에 많은 과정이 거쳐져

물이 생겨나 박테리아나 바이러스 같은 최초의 생명체가

태어났다

"알겠니, 얘들아?" 과학 선생님께서 말하셨다. "그러니까 내가 말하고 싶은 것은 인간은 지구의 주인이 아니야, 오히려 후배라고 할 수 있지." 선생님께서 덧붙이셨다. 선생님, 그런데 인간은 지구를 지배하고 있지 않나요?" 한 학생이 손을 들고 질문했다. "다시 생각해 보자, 과연 인간이 지구를 지배하고 있을까? 예를 들어서 지구에 거대한 운석이 떨어진다면 어떤 생명체가 살아남을까? 아마 작은 곤충들이나 박테리아 또는 세균 같은 것들이 살아남을 거야.” 선생님께서 말하셨다. “선생님, 그래도 인간은 지금 자연을 지배하고 있지 않나요?” 다른 학생이 질문했다. “그렇지, 하지만 이대로 계속 자연을 지배하고 파괴하면 인간도 언젠간 대가를 치르게 될 거야.” 선생님께서 말하셨다. 학생들은 모두 조용해졌다. 수업이 끝난 후, 나는 책상에 앉아 생각했다. “인간이 자연을 지배하지 못한다”라고 하셨던 선생님의 말씀이 계속 머릿속에 맴돈다. “야, 뭐 생각하냐?” 갑자기 내 절친 현빈이가 내 어깨를 툭 치며 말했다. “너는 인간이 자연을 지배하지 못한다고 생각해?” 내가 현빈이한테 물었다. “당연히 인간은 자연 따윈 지배하지, 당연한 것 아냐?” 현빈이가 당당하게 말했다. ‘그래, 인간은 지금도 자연을 지배하고 있는데 아무 재앙도 오지 않았어. 아마도 선생님께서 우릴 골려주시려던 것이 분명하다.’ “그래, 자연은 나약하지, 대가는 무슨 대가.” 내가 당당히 말했다.

다음 날 아침, 깜빡 늦잠을 잤다. 그런데 이상하게도 어머니께서 깨워주시지 않으셨다. 오늘이 공휴일인지 확인하려고 달력을 봤다. 그저 평범한 평일이었다. 나는 아이패드를 켜고 뉴스를 봤다. 무슨 일이 있는 건지. 무슨 일이 있었다. 평범한 일이 아니었다. 이것은 자연이 인간한테 하는 복수에 관한 얘기였다. 인간의 과도한 욕심으로 끝내 태어난 괴생명체 “바이러스” 사람들은 이 바이러스의 이름을 COVID-19 즉 코로나로 부르기로 했다.

인간이라면 모두 다 자신의 이익을 원할 것이다. 이들은 자신의 이익을 위해 자연을 파괴했다. 어차피 그들 마음 깊숙이 굳어진 생각은 자신만 잘 먹고 잘살면 된다는 것이기에 다른 것들을 배려하진 않았다. 그때 그들이 파괴했던 행적들은 그 후 세대들이 대가를 치르게 될 것이다. 비록 후대 세대들이 자연을 아낀다고 해도…….

재앙의 탄생

갑자기 희망을 빼앗긴 이 세상. 갑자기 나타난 정체불명의 "괴물" 때문에 모두가 혼란스러워한다. 이 세상은 뉴스와 언론으로 시끄러워지고 내가 맨날 시끄러워서 짜증 냈던 바깥이 이젠 조용해졌다. 도리어 그 시끄러운 바깥세상이 그립다. 바로 어제까지만 해도 학교에 있었던 시간이지만 지금은 집에 있다. 나나 내 친구들은 모두 바이러스를 겪어 본 적이 없다. 예전에 사스라는 바이러스가 있었다지만 나와 친구들은 이게 첫 경험이다. 뉴스가 계속 사상자 수를 말하자 엄청 큰 맹수를 만난 것처럼 두렵다. 난 여기서 살아남을 수 있을까? 중요한 것은 뉴스에서 말하는 사상자 중 한 명이 될 수도 있단 것이다.

길어질 전쟁

시간이 이상하게 조용히 7일이나 지났다. 우리 가족은 더 길어질 징조가 보여 미리 통조림을 잔뜩 구비해놨다. 사상자는 날마다 늘어나고 있다. 이제 곧 우리 동네에도 코로나가 나타날 것 같다. TV에서 늘어나는 사상자 수를 말한다. 처음엔 적었지만 조금 불어난 사상자 수를 봤을 때 앞으로 계속 늘어날 것 같다. 과학자들은 모두 백신 만드는 것에 열중한다. 동물실험을 통해 백신을 만들고 있다고 한다. 전에는 동물실험은 동물 학대라고 주장하던 사람들도 조용해졌다. 많은 나라들이 조금씩 원인을 찾으려 한다. 세상이 이렇게 돌아가는데도 학교는 수업을 시작했다. 온라인 수업을 시작했는데 선생님께선 수업이 끝나면 온라인 방을 종료하지 않으셔서 나와 친구들끼리 소통할 수 있었다. 그게 채팅 앱이 없는 우리에게 만나지 않고 소통할 수 있는 유일한 방법이었다. "얘들아, 그거 알아? 코로나가 우리 동네까지 퍼짐." 현빈이가 말했다. 벌써 코로나가 우리 주위까지 퍼진 것 같다. 다행이라고 해야 할지는 모르겠지만 현빈이의 동네와 내가 사는 동네는 차 타고도 1시간 거리일 정도로 멀다. "너희 동네도야? 우리 동네에도 확진자 나타남." 우리 동네와 굉장히 가까운 동네에 사는 시현이가 말했다. 맙소사, 시현이의 동네까지 닿은 것이면 우리 동네에도 확진자가 있을 것이다. 그동안 내가 그냥 못 본 것인가? 시현이가 말하자 다른 친구들도 연달아 말했다. 듣자 하니 우리 반 9명 중 6명의 동네에 확진자가 나타났다. 동네에 확진자가 나타났다는 뜻은 곧 내 친구들이 코로나라는 괴물한테 먹힌다는 것이다. 굉장히 슬프지만 내가 어찌 손쓸 방법이 없다. 지금 내가 할 수 있는 것은 그저 친구들이 무사하기를 기원하는 것이다. 그저 무사하기를…….

망가진 세계

그로부터 약 몇 달이 지났다. 내 친구들과의 연락은 진작에 끊겼다. 마지막으로 들었던 말들은 모두 목이 아프단 소리였다. 이 말을 듣고 나서 코로나 증상을 검색해 보니 무사는 이미 글렀다. 이젠 실 가닥 하나라도 집는 심정으로 백신이 나올 때까지 그들의 몸이 버텨주었으면 하며 비는 것이다. 중국 전역에 코로나가 퍼졌다. 학교에서는 외박을 나갔던 한 기숙사 학생이 코로나와 같이 돌아와 학교에 있던 모든 기숙사 학생과 교사가 걸렸다. 우리 동네도 예외는 아니다. 격리를 하여 철통보안을 하던 우리 동네에서도 재앙이 오는 것을 막을 순 없었다. 우리 동네에 있는 모든 사람이 걸렸다. 심지어 우리 부모님까지도……. 이제 이곳에서 살아남은 자는 나 하나뿐이다. 그저 나 하나…….

피어난 희망

봄이 있다면 겨울이 있다. 겨울이 있다면 봄이 있다. 아무리 겨울이 길어도 봄은 꼭 찾아온다. 차가운 눈 속에서 따뜻하게…… 없을 것만 같았던 희망이 우리 곁으로 돌아왔다. 오랜 시간 끝에 백신이 만들어진 것이다. 다행히도 걱정했던 대로 지인들이 위험하지 않았다. 그거면 됐다. 내가 마치 모든 사람들의 병을 삼킨 듯이 내가 코로나에 걸리자, 모두가 나았다. 난 내가 걸렸지만 그래도 기쁘다. 이젠 혼자가 아니니까.

지성을 갖췄다고 해도 인간은 하나의 생명체다. 생명체 하나가 모든 생명체가 나눠 써야 할 자원을 혼자 써버리면 안 된다. 어쩌면 인간은 마땅히 받아야 할 벌을 받은 것이다. 자원을 더 가져가면 더 큰 벌이 인간을 기다리고 있을 것이다.

작가 소개

1. 작가 소개

제 이름은 김민진입니다. 청도대원학교에 다니고 있습니다. 중국에는 5살 때 와서 은근히 중국에 오래 있었습니다. 평소 글쓰기에 관심이 많아 이 대회에 출전했었습니다.

2. 수상 및 참가 소감

저는 한 소설을 읽고 글쓰기에 관심을 얻게 되었습니다. 베르나르 베르베르의 작품이었죠. 하지만 그저 혼자 계속 글을 쓰는 것보다 한 발짝 나아가고 싶었습니다. 그래서 이 대회에 출전했습니다. 그 후에 제가 이 대회에서 상을 받을 줄은 몰랐지만, 그 순간을 시작점으로 삼아 앞으로 한 발짝이 아닌 계속 나아갈 것입니다. 언제까지나. 거대한 꿈에 도착할 때까지.

3. 앞으로 어떤 글을 쓰고 싶어요?

제가 글쓰기에 관심을 두게 해준 것은 소설이었습니다. 세상에서 제일 자유롭고 상상이 들어갈 수 있는 글. 저도 언젠간 쓰고 싶었습니다. 그분처럼 하나의 이야기를. 이야기가 엮어지며 만들어진 하나의 작품을. 저는 이제부터 가능한 한 소설 위주로 글을 쓸 것입니다.

신작

〈달팽이〉

모두가 나한테 느리다 해도
모두가 나한테 못한다 해도

나는 항상 앞을 보며 느릿느릿
멀리 있는 나무를 향해 느릿느릿

남들이 빠르게 작은 나뭇잎을 주어올 때
나는 거대한 나무를 향해 천천히 나아간다

본상 수상작

나

최서이(청도은하국제학교 11학년)

누군가가 나에게 코로나 상황을 겪으면서 무엇을 배웠냐고 물어보면 나는 자신 있게 '나'에 대해서 배웠다고 말해줄 수 있다. 갓 초등학교를 졸업하고 난 '나'에서 조금 더 성숙해진 '나'로 변했고, 나도 몰랐던 나의 모습에 대해 알게 되었고, 나에 대해서 더 알아갈 수 있었던 시기였기 때문이다. 지금부터 내가 코로나 때 겪었던 일들을 말해보려고 한다.

중학교 1학년이 되어서 나는 처음에 개학이 연기되었었고, 얼마 뒤, 개학과 동시에 온라인 수업이라는 선물을 받았다. 솔직히 말하자면 그때까지는 선물인 줄 알았다. 맨날 집에서 놀 수 있게 됐다고 생각했으니까. 굳이 일찍 일어나지 않아도 되고, 수업이 끝나면 바로 집인 게 너무 좋을 거라고 생각했다. 그리고 수업 끝나면 유튜브 보면서 신나게 놀았다. 그렇게 몇 달간의 온라인 수업이 끝나고 나의 성적은 번지점프를 하듯이 바닥으로 내려갔다. 하지만 처음에는 이 성적과 나의 상태의 심각성을 잘 못

느꼈다. 그 시험을 시작으로 나는 공부를 점점 게을리하게 되었고, 성적도 내가 했던 행동들에 대해 증명하듯이 오르락내리락하게 되었다. 그렇게 내가 다시 바로 잡으려고 노력했을 때, 그때 정말 힘들었었다. 핸드폰만 매일 봤었고, 옛날에 그렇게 좋아하던 책 읽기도 하지 않았기 때문에 공부에 대한 집중력도 많이 떨어져 있었다. 책이라도 조금 더 읽었으면 괜찮았을 텐데 많이 읽지 않아서 국어 실력도 많이 떨어졌다. 그리고 어쩌다 공부를 시작했다고 해도, 시작한 지 몇 분 채 되지도 않았는데 벌써 핸드폰이 보고 싶어져서 온몸이 근질거렸다. 그렇게 힘들었던 때를 지나고 다시 정상수업으로 돌아왔을 때 다행히 전보다는 성적이 올랐었다. 그리고 작년 연말의 온라인 수업에서 나는 이미 두 번의 온라인 수업을 겪었기 때문에 어떻게 해야 이 시기를 잘 보낼지에 대한 계획도 정리되었다. 나는 1, 2년 사이에 내가 이 온라인 수업을 대하는 마음가짐이 달라졌기 때문이라고 생각된다.

하지만 그 시기에 공부에 관한 고민만 계속하며 하루하루 힘들고 재미없게 살진 않았다. 집에만 있는 상황이 계속되면서 나는 나에게 좀 더 집중할 수 있는 시간을 갖게 될 수 있었다. 오로지 나를 위한 시간에 투자했고, 하고 싶은 걸 마음껏 하는 시간이었다. 유튜브에서 맛있는 걸 만드는 영상을 보면 나도 만들어 보고 싶어져 따라 만들기도 했고, 그림이 그리고 싶어지면 바로 물감을 꺼내 그림을 그리기도 했다. 그렇게 나는 베이킹에 재미가 들렸고 부모님께 여러 가지 디저트를 만들어 드리기도 했다. 또한 밖에 나가지 못하고 집에만 있어서 우울해진 내 마음을 위로해 주는 책들도 읽었고, 나에게 집중하다보니 나는 사소한 발표 하나도 벌벌 떨어서 못 하던 성격에서 발표는 예전만큼 두려워하고 무서워하지 않고 수많은 사람들 앞에서 하는 댄스부 공연 같은 것도 즐기게 되는 성격으로 많이 바뀌었다. 그 뒤로 학교 활동에도 전보다는 더 적극적으로 참가하게 되었고, 친구들과도 더 즐겁게 지냈다. 오히려 나에게는 이 코로나 시대가 전환점이 된 것이었다.

얼마 전, 코로나가 끝난 이후 처음으로 맞이한 국경절 연휴에서 나는 가족들과 함께 항저우와 상하이로 여행을 떠났다. 몇 년만에 간 국경절 여행에서 나는 오랜만에 살맛나는 하루하루를 보냈다. 가는 곳마다 사람들로 북적거렸고, 생기가 가득했다. 예전 같았으면 사람 많은 곳에 가서 짜증만 냈을 나였을 텐데 이번에는 오히려 기쁘고 즐거운 기분으로 다녔던 나였다. 코로나로 인해 사람들을 전만큼은 못 보면서 살다가 이렇게 또 보니 좋아진 것 같다. 그래도 수많은 사람이 모인만큼 정신없기는 했지만, 마음 깊숙이 왜인지 모를 편안함이 느껴졌다. 예전으로 돌아간 것만 같아서 그런 느낌이 느껴졌을까? 항저우에서는 아시안게임에 모두가 열광해 있었고, 응원하는 뜨거운 열정들로 가득 차 있었다. 그리고 상하이에서는 명소들에서 사진을 찍겠다는 사람들로 인해 또 다른 느낌의 열정들로 가득차있었다. 이런 사람들을 보면서 나도 모르게 기분이 좋아졌다. 전에는 '사람은 사람을 만나고 살아야 한다.', '사람끼리 모여서 살아야 한다'라는 말에 전혀 공감하지 못했었는데, 이번 여행을 통해서 이 말에 매우 공감하게 되었다.

누군가는 즐겁게 보냈고 누군가는 슬프게 보냈을 이 코로나 시대에서 우리는 많은 것들이 변화했다. 또한 이 특별했던 시기를 지남으로써 모두가 한층 더 성장했을 거라고 믿는다. 나는 더 발전하고 나은 내가 되기 위해 노력해 나갈 것이다. 마지막으로 이 글에 어울리는 말 한마디가 있는데 "우리는 나이가 들면서 변하는 게 아니다. 보다 자기다워지는 것이다"라는 '린 홀'이 했던 말이 있다. 코로나가 시작했을 때 초등학교 졸업생이었던 내가 어느새 내가 고등학생이다. 이 말에서 나는 수많은 시간이 지나가면서 나는 변한 게 아니라 점점 나다워지고 있는 거라는 것을 느꼈다. 우리는 지금도 자신을 찾고 있고, 자기다워지고 있다. 가끔 남이 "너 왜 이렇게 변했어?", "너 예전 같지 않아"라는 말을 해주는데 우리가 꼭 예전 같을 필요는 없다. 모두가 그 말에 진짜 나를 버리지 말고 자신의 진짜 모습을 찾게 되면 좋겠다.

작가 소개

1. 작가 소개

안녕하세요. 저는 중국 칭다오에서 청도은하학교에 다니고 있는 최서이입니다. 현재 고등학교 2학년 학생이고, 중국에서 태어나고 자랐습니다.

2. 수상 및 참가 소감

'나의 코로나 연대기'라는 주제를 보고 지난 3년간의 나의 모습을 되돌아볼 수 있겠다는 생각이 들어서 공모전에 참가하게 되었습니다. 그동안 내가 보내온 시간을 잘 정리해 보자는 느낌으로 글을 썼는데, 예상치 못하게 상까지 받게 되어서 정말 기쁘고 감사합니다. 사실 저는 코로나 동안의 시간이 정말 빠르게 지나갔다고 느껴져서 이 주제를 받고 글을 쓰기 전까지 '내가 그동안 성장을 하지 않았으면 어떡하지?' 하는 걱정도 했었습니다. 하지만 이 글을 쓰는 동안 제가 외적으로도 그렇고 내적으로도 많이 변했다는 것과, 그동안 시간만 지나간 게 아니었다는 것을 깨닫게 되었습니다. 문학의 밤 행사 덕분에 저의 코로나 시대에 아름다운 마침표를 찍을 수 있게 된 거 같습니다. 정말 감사합니다.

3. 앞으로 어떤 글을 쓰고 싶어요?

앞으로 글을 쓰게 된다면 독자에게 좋은 영향을 줄 수 있는 글을 쓰고 싶습니다. 부정적인 글보다는 긍정적이고 희망이 담겨 있는 글을 쓰고 싶습니다.

신작

<겨울>

점점 추워지고 있는 계절이다
손끝도, 발끝도
하지만
내 마음만큼은
점점 따뜻해지고 있는 계절이다

다가오고 있는
크리스마스 때문일까
아니면 얼마남지 않은
새해 때문일까
잘 모르겠다

나는 겨울에게
'벌써'보다는
'드디어'라는 말을
많이 쓴다
그만큼 내가 많이
기다리고 있었다는

뜻인걸까

손꼽아 기다렸던 겨울
드디어 겨울이다
나에겐
새로운 페이지의
시작이다

코로나, 필리핀 그리고 귤

강수민(사립칭다오교주영자학교 국제부 해랑학교 9학년)

나는 코로나가 시작할 즈음에 필리핀에 있었다. 필리핀은 매일 덥고 따가운 햇살이 나를 내리쬐었다. 땀이 턱밑을 타고 내려올 때면 시원한 아이스크림과 얼음물을 먹는다. 시원한 게 목뒤로 넘겨질 때면 더움이 가신다. 여기저기서 들리는 영어와 다정한 사람들의 태도는 한국에서는 볼 수 없었던 광경들이었다. 학교에서도 필리핀 친구들, 한국 친구들과 매일 재미난 하루하루를 보내던 참이었다. 학교에서 설날 이벤트를 보내고 설날 휴일을 지낼 무렵 나는 처음 코로나에 대해 접했다. 처음에는 다들 코로나가 뭔데 그렇게 난린지 그저 독감 같은 취급을 했었다. 하지만 급작스러운 온라인 수업 확정과 쏟아지는 부정적인 언론들, 두려움을 조성하는 뉴스들로 인해 순식간에 전 세계인들이 두려움에 떨기 시작했다. 나 또한 그것을 함께 고스란히 느꼈어야 했다. 하지만 '인생사 새옹지마'라고 하였나, 나는 언젠가는 좋은 일이 올 거라고 믿고 즐거운 마음으로 온라인 수업을 들었다.

온라인 수업을 들은 지 어느덧 3개월, 초등학교 5학년을 끝내고 방학이 시작되자마자 우리 가족은 한국행을 결정했다. 마침 아빠는 중국에 출장가 계신 상태였기에 엄마, 오빠, 나 그리고 반려동물 초코와 함께 두렵지만 설레는 마음으로 오랜만에 한국행 비행기에 올랐다. 20시간 같던 2시간이 지나고 대구공항에 내렸다. 우리는 이모 집에 가기 전에 2주 격리를 하기 위해 할머니 집에 가기로 했다. 할머니는 우리를 위해 잠시 고모 집에 머문다고 하셨다. 많은 서류를 준비하고 비행기를 올랐는데도 불구하고 한참 동안 기다린 끝에 공항 차를 탈 수 있었다. 공항 차는 칸막이가 철저히 쳐져 있었고 닿는 모든 곳이 방역 커버가 되어있었다. 케이에프 마스크 2겹을 쓴 채 한마디도 하지 않고 경주까지 가는 것은 큰 곤욕이었다. 하지만 공항에서 걸리지 않고 안전히 공항 차에 오른 것만 해도 감사하다고 생각했다. 경주에 도착한 뒤에는 쥐도 새도 모르게 잠들었다. 다음 날 아침에는 코로나 검사를 하러 오신 방역관분들에게 테스트를 받았다. 그 후, 음성이란 결과를 받았을 때는 뛸 듯이 기뻤다. 이렇게 2주란 시간은 느리게도 흘러갔고 마침내 마지막 테스트도 음성이란 결과를 받고 이모 집인 구미로 갔다.

오랜만에 본 이모, 이모부, 사촌 동생, 오빠들이 반가웠지만 오래가지는 못했다. 의도치 않게 점점 더 심해지는 코로나로 인해 이모 집에 1년을 살게 되면서 나의 스트레스는 심해져 갔다. 다들 좋은 분들인 것은 확실하지만 사람들의 성격이 다 다른지라

유독 내가 많은 트러블 때문에 힘들어했다. 또, 온라인으로 초등학교 6학년을 수료했기에 공부 또한 잘 되었을 리가 없었다. 그즈음 나는 인생에서 가장 불안정하고 힘들 때였다. 그때 썼던 일기를 인용하자면 “여기저기 다니다 보니 정착 생활을 안 해서 향수병도 유독 많이 걸리고 친했던 친구들과 헤어진다는 게 정말 괴로운 일이다”라고 생각하기도 했다.

하지만 내 인생의 전환점은 또 있었다. 아빠가 일하고 계신 중국으로 가기로 결정되었다. 사실 나는 4살까지 중국에 살았고 한국보다 중국에 친구가 더 많았었다. 나는 지금 이런 힘든 생활보다 중국으로 가는 게 훨씬 좋다고 판단했고 엄마의 물음에 나는 흔쾌히 좋다고 하였다. 어찌 됐든 미운 정이 들었는지 이모네와도 제법 감동적으로 헤어지고 나서 중국으로 가는 비행기에 올랐다.

2년 만에 가는 중국은 새롭지만 동시에 친숙했다. 어렸을 적 기억이 새록새록 피어오르는 감정이 나쁘지 않았다. 학교에 다니고 학원에 다니고 친구가 생기고 삶이 안정되고 나는 일 년 전에 하루하루가 불안하던 모습은 온데간데없고 장난스럽고 매사 긍정적인 나 강수민으로 돌아왔다. 사실 중국에 와서도 반복되는 코로나 검사와 숨이 턱턱 막히는 마스크, 놀고 싶어도 놀 수 없는 생활은 여전했지만 내 집, 내 가족 나의 삶이 안정되니 그 무엇도 두려울 게 없었다.

여전히 코로나는 계속됐지만 그 안에서 가장 중요한 것을 깨달았다. 정말 나에게 큰 감동을 주었던 말이 있다. 유튜버 알간

지가 말했다. 인생은 귤과도 같다고. 귤을 주무르고 스트레스를 주면 에틸렌이라는 성숙 호르몬이 나와 달달해진다. 힘든 일을 겪고 나서 성숙해지고 조금 더 나은 인간이 되는 그 과정과 상처 입은 귤이 더 달아지는 그 과정이 참 비슷한 것 같다. 처음이 내용을 접했을 때 말하기 힘든 감동이 올라왔었다. 마치 나를 위로해 주는 것 같아서. 코로나로 인해 전 세계 수많은 사람이 힘들었을 텐데 귤 같은 인생이라 생각하고 툭툭 털어냈으면 좋겠다. 코로나가 끝난 지금은 또 달달한 귤 제철이다. 언제 또 불행한 나날들이 찾아와 귤을 썩게 만든다고 할지라도 나는 언제까지나 사랑하는 사람들과 다시 귤을 사러 갈 것이다. 언제까지나.

작가 소개

1. 작가 소개

저는 해랑학교 중학교 3학년 강수민입니다.
이번 글짓기 대회를 통해서 많은 것들을 배웠습니다.
아직 부족한 부분들이 많지만, 더 노력해서 앞으로도 멋진 글을 쓰는 사람이 되고 싶습니다.

2. 수상 및 참가 소감

저는 코로나 기간 이전에는 외국에서 마냥 즐겁게 일상생활을 하며 지냈었어요.
하지만 코로나가 발생하고 격리라는 게 생겼어요.
처음에는 별생각이 없다가 상황이 점점 악화되면서 제 일상도 무너지기 시작하자, 저는 굉장히 많은 답답함과 억울함을 느꼈었어요. 그래서 이번 글짓기대회의 주재에 관심이 많이 간 것 같습니다. 저는 이 글을 쓰면서 마음속에 아직 남아있는 그때의 감정들을 다시 생각해 보고 그 경험을 슬기롭게 극복하고 싶은 생각을 하며 참가했었습니다.

3. 앞으로 어떤 글을 쓰고 싶어요?

저는 앞으로 사람들에게 감동을 주는 글을 쓰고 싶습니다. 재미나 슬픔 같은 감정은 쉽게 표현할 수 있을지 몰라도 감동만큼은 쉽게 느끼게 할 수 있는 것이 아니라고 생각합니다. 누군가에게는 위로가 누군가에게는 안심이 되는 글을 써 사람들에게 감동을 주는 일, 그게 제가 앞으로 원하는 글의 방향입니다.

신작

〈겨울〉

차가운 공기
어두운 아침
두꺼워진 옷

고소한 밤
달콤한 고구마
따듯한 붕어빵

이 모든 것은 겨울
틀림없이 겨울
겨울이 왔네

만개한 벚꽃을 지나
뜨거운 햇살을 피해
수북한 낙엽을 치우고
차가운 겨울이 왔네

본상 수상작

이팔청춘

지다빈(칭다오청운한국학교 12학년)

이팔청춘이라던 열여섯에 나는 코로나를 만났다. 십육 세의 무렵의 꽃다운 청춘, 이게 이팔청춘의 사전적 의미인데. 찬란하게 날아오르던 청춘들을 시대가 짓눌렀다. 누군가에겐 꿈을, 누군가에겐 가족을, 누군가에겐 행복을 앗아갔다. 그러나 백프로의 행복도 백프로의 비극도 없는 이 세상에서 나는 다시 날아오르려 했다. 시대가 다 포기하게 만들었는데 어떻게 행복까지 포기할 수가 있겠는가. 그렇지만 파도가 치지 않는 바다는 없듯, 사람은 행복만으로 가득 차 있지 않았다. 기쁨, 환희, 쾌락 그리고 행복. 그 너머의 아픔과 슬픔, 그리고 증오 따위가 멀지 않은 곳에 항상 도사리고 있다는 것. 그러니 청춘을 즐기자는 말은 마냥 당신의 행복을 빌어준다는 말과는 다른 것이다. 아프기도 슬프기도 또 괴로울지도 모르지만, 우리 청춘을 즐기자고.

나의 청춘이 묻어난 곳은 어디였고, 그 시간은 언제였던가. 청춘이라 하면, 비가 오는 날 내리는 비를 맞으며 뛰고, 눈이 오는 날 따뜻한 목도리에 하이얀 입김을 불며 겨울 간식거리를 사 먹고, 꽃이 피는 날 누구보다도 예쁘게 갖춰 입으며 사진을 찍고, 단풍이 물드는 날 산의 크기와 상관없이 올라서서 자연의 냄새와 공기를 맡는 그러한 장면이 떠오른다. 그런 장면엔 첫사랑이나, 단짝 친구나, 많은 친구들, 가족들이 같이 떠오르며 함께하길 마련이다.

그렇지만 애석하게도 나의 청춘은 앞서 말한 청춘 하면 떠오르는 것들과는 무척이나 달랐다. 코로나라는 장애물이 항상 곁에서 나를 가로막고, 또 구속했기 때문에. 나에게 청춘은 이러한 장애물들을 뛰어넘는 경기였다. 마치 28개의 허들과 일곱 개의 물웅덩이를 뛰어넘는 장애물 경주의 선수처럼 말이다. 단짝 친구와 마스크를 맞춰 쓰고, 색을 맞춰 우리만의 특별한 마스크 줄을 만들고, 온라인으로 수업을 들으며 비밀채팅으로 몰래 이야기를 나누었다. 온라인으로도, 마스크를 착용하더라도 충분히 많은 것들을 할 수 있다는 것도 깨닫게 되었다. 그러다 상태가 조금이나마 완화가 되어 학교에 나가 거리두기를 할 때에는, 책의 귀퉁이를 찢어 별 의미 없는 말을 적고 꼬깃하게 접은 쪽지를 던져 괜히 아날로그적인 분위기도 내보았다. 급식실에 가지 않고 도시락을 먹을 때는 오랜만에 친구들과 소풍 간 기분을 내기도 했다. 우리는 소소하지만, 그것만으로도 몇 배의 행복들을 느꼈다. '처음'과 '끝' 그리고 '함께'와 '우리', '같이'라는 단어를 좋아하는 나는 항상 사람과 함께하며 무언가의 처음 혹은 끝을 기억하기 위해 추억했다.

그러나, 기억은 언제나 내 의지대로 왜곡된다. 지금 생각해 보면 코로나가 준 시간이 나에게는 특별한 기억이 되었고, 나만의 반짝이는 청춘이 되었다. 지난날의 감정은 꽤 행복했고, 예뻤으며, 웃음이 많았고, 그리 아름다울 수가 없어 보인다. 하지만 그때의 나에게 돌아가 보자면, 한편으로는 불안했고, 우울했으며, 항상 울었고, 실패가 눈앞에 있었다. 참으로도 비극적이었고, 참혹했다. 나에게서 코로나라는 전염병이 빼앗아 간 것들이 너무나도 많았던 걸까. 내 고통과 모든 시련, 내 실수와 죄, 내 눈물과 절망 모두 나의 청춘의 일부였고, 소중한 기억이며 또 추억이다. 그리고 이 모든 것은 지금도, 앞으로도 현재 진행형이며 내가 어떻게 살든 나는 지금도 청춘 속에서 달리고 있다.

언제부터일까, 우리는 왜 청춘이라 하면 아름다운 장면을 떠올리는가, 왜 그런 장면만이 화양연화가 된 것인가. 나의 삶은 모두 청춘이고, 모든 순간이 화양연화라고 믿고 싶다. 아니, 나의 청춘은 내가 정하고 싶다. 나의 청춘은 모든 순간이다. 당장 내 눈앞에 죽음만이 보여도, 나의 청춘에 장애물들이 가득해도, 나는 당당하게 말 할 수 있다. 다시 태어날 기회를 준다 해도, 난 나의 삶을 똑같이 살 것이라고, 그 고통을 모두 겪을 거라고, 그래서 꼭 내 사람들을 모두 만날 거라고.

청춘이 존재했다. 푸르고 푸르던 열다섯을 지나 맞이한 나이. 그 이팔청춘에는 언제나 추억이 가득했다. 코로나 역시 나의 추억 속 일부였다. 이제는 열여섯을 한참 지나 열아홉, 십대의 마지막을 향해 달리고 있고 영원할 줄 알았던 학창시절의 영원함은 그저 나의 바람일 뿐, 존재하지 않는 허상에 대고 소리 질러 본다. 코로나는 나의 청춘이었다고.

나의 청춘은, 과거와 현재 그리고 앞으로이며, 행복이기도 역경이기도 했다.

작가 소개

1. 작가 소개

안녕하세요, 십 대의 청춘 끝자락에 서 있는 열아홉 살 지다빈입니다.

2. 수상 및 참가 소감

작년에 이어서 이번에도 참가하여 수상하게 되었는데, 열여덟이었을 때와 열아홉의 끝에 서 있는 현재의 제 자신이 청춘을 생각하는 태도가 무척이나 달라서 곧 스무 살이 되는 것에 다시 한번 더 체감하게 되었습니다. 열여덟이었을 때의 청춘은 정말 반짝였고, 그 시절의 냄새와 마음을 다시 느끼고 싶어 열아홉의 청춘도 반짝일까 기대를 했던 기억이 있습니다. 하지만 열여덟의 제가 생각했던 청춘은 온데간데없고, 공부와 대학 입시만을 좇아가다 보니 어느 순간 스무 살의 문턱 앞에 다다르게 되었어요. 하지만 이렇게 시간을 보낼 수는 없다고 생각해 마지막으로 청소년 문학상에 참가를 하였는데, 상까지 받게 되어 너무 감사하고 기쁩니다. 제 십 대의 마지막을 문학의 밤으로 장식할 수 있다는 게 정말 의미 있는 것 같습니다.

3. 앞으로 어떤 글을 쓰고 싶어요?

앞으로도 계속해서 청춘을 말하는 글을 쓰고 싶습니다. 우리의 청춘은 언제 어디에서나 반짝일 것이기 때문에. 저마다 다른 색을 가진 여러분의 청춘을 응원합니다.

신작

<2030999>

청춘의 습작이 결코 헛되지 않았음을 증명하듯 매년 이맘때쯤이면, 푸른 봄철이 내 여름을 흔든다. 그때 그 시절, 길모퉁이 돌아 낡아 빠진 노점들 사이, 젊음의 희생이 상주한 그곳에서. 미워야 할 여름이 청록색으로 피어나기 시작했으니.... 어설픈 청춘을 투영한 여름의 금지곡이 흐르고, 정겨운 매미 소리가 잡음을 대신하던 그때, 처음으로 너를 만났다. 지금의 나에게 사랑을 알려 준 사람. 너를 생각하면 우주 어딘가에서 별이 태어난다. 폭우가 나에게만 내린다. 지금 당장 천둥이라도 껴안을 수 있을 것만 같다. 너와 나 사이에 놓인 길의 모래를 전부 셀 수 있을 것만 같다. 이름만 읊어도 세상의 모든 것들이 눈물겨워진다. 그리움이 분주해진다. 나에게 다녀가는 모든 것들이 전부 너의 언어 너의 온도 너의 웃음과 악수였다. 지금 생각하니 그게 모두 사랑으로 말미암아 사랑으로 저무는 것들이었다.

이제는 여름과 청춘이라는 단어를 들으면 네가 제일 먼저 떠오른다. 여름과 청춘이라는 단어가 없었으면 무엇으로 그 애를 형용할 수 있었을까라는 생각이 들을 정도로 여름의 명사는 언제나 너였다.

잠시 잊을 수는 있어도 잃을 수는 없는, 우리의 청춘은 표현하기 어려울 정도로 아름다웠다.

나의 코로나 연대기

서지오(청도은하국제학교 10학년)

2019년 12월 어느 하루.

학교에 갔다. 요즘 우한폐렴이라는 새로운 질병이 도는 것 같다. 학교에서 누가 어떤 할머니 한 분이 우한폐렴에 걸리셨는데 이곳저곳을 돌아다니는 바람에 전 세계에 우한폐렴을 퍼뜨렸다는 소문을 들었다. 뭐 그런 질병이 있고 그런 루머가 있나보다. 우리 도시에는 아직 우한폐렴이 퍼지지 않았다.

2020년 1월.

겨울방학이 되었다. 우리 가족은 일본으로 여행을 갔다. 지진이나 원자력발전소 폭발 등 사건사고가 많던 나라가 일본인만큼 늘 미루고 미루던 일본여행을 떠나는 거라 출발 전부터 들뜬 마음으로 비행기에 올라탔다. 우한폐렴으로 알고 있던 코로나 바이러스가 전 세계에 퍼지기 시작했다는 소식을 들은 터라, 혹시 몰라 황사마스크를 싸들고 일본 여행을 떠났다.

아니나 다를까, 일본 여행 도중 코로나 바이러스가 일본에 퍼지기 시작했다. 미리 마스크를 준비하길 잘했다.

전에 메르스가 한국에 돌았을 때에도 마스크를 착용하고 제주도에 갔었던 적이 있었다. 그때도 가족여행이였는데 마스크를 잘 착용하니 아무 이상도 없었던 것이 기억났다. 이번에도 별 일 없이 금방 무마될 게 분명하다. 한 한달 정도면 아마 바이러스가 사그러들지 않을까? 마스크의 불편함이 익숙하진 않지만, 금방 마스크를 다시 쓰지 않아도 될 것이라는 생각에 불편함을 감수한 채 여행을 계속하였다.

그러나 여행 도중, 문제가 생겼다. 코로나 바이러스가 생각보다 위험한 질병이였는지, 각종 뉴스 기사에서 코로나 바이러스의 심각성을 다루는 글들이 올라오기 시작했다. 우리의 일본 여행이 끝날 때 즈음, 중국에도 코로나 바이러스가 널리 퍼지기 시작하였다.

나는 코로나 바이러스에 걸리기 싫었다. 무서운 질병 같았다. 그래서 나는 중국으로 돌아오고 싶지 않았다. 결국, 중국에 직장이 있는 아빠만 중국으로 돌아오고, 나와 엄마는 한국으로 들어가 지내다 코로나가 조금 잠잠해지면 중국으로 돌아오기로 하였다.

2020년 2월.

겨울방학이 끝나고 학기가 시작되었다. 코로나 바이러스 예방 정책으로 모든 학교를 정부에서 폐쇄하였고, 학교에서 온라인 수업이란 것을 시작하였다.

온라인 수업은 신기했다. 그리고 재밌었다. 쉬는시간마다 나는 휴대폰을 볼 수 있었다. 그리고 수업이 끝나면 엄청나게 긴 자유시간이 주어졌다. 마음속으로 온라인 수업을 계속 하였으면 좋겠다는 생각을 하였다. 그렇지만 아무리 지독한 바이러스라 하더라도 3,4월 쯤에는 코로나 바이러스가 종적을 감추지 않을까? 이미 바이러스가 집중적으로 퍼진 지 2,3개월 정도 지났다. 여기서 더 길어지는 것은 현실적으로 말이 안된다. 온라인 수업을 곧 그만하게 된다는 사실이 아쉬웠다.

2020년 3월.

대구에 엄청나게 많은 확진자들이 나왔다. 코로나 바이러스를 피해 중국을 나와 한국에 들어왔지만, 한국은 더이상 코로나 바이러스 안전지대가 아니였다. 도리어 중국보다도 더 많은 수의 확진자들이 발생하며 한국에서 중국으로 다시 돌아갈 수 있는 루트들이 막히기 시작했다. 그렇지만 괜찮을 것이다. 아무리 길어봐야 몇개월 더 가겠나, 지금 중국에 들어가는 비용도 크고 굳이 들어가는 바에는 한국에서 사는 게 더 편하다. 대부분의 친구들이 중국으로 돌아가는 비행기를 탔지만, 우리는 조금만 더 기다려보기로 하였다.

2020년 5월.

나는 정말 몰랐다. 정말 지금쯤이면 중국에 돌아가 있을 것이라

한치의 의심 없이 믿고 있었다. 그때 일본의 공항에서 아빠에게 곧 보자고 마지막으로 인사한 이후로 반년이 지나도록 아빠를 다시 못보게 될 줄은 상상도 못했다. 그리고 중국이 그리워지게 될 줄도, 온라인 수업이 싫어지게 될 줄도, 집에서 게으름을 피우며 농땡이 부리는 것조차 지루해질 줄은 몰랐다. 세상의 모든 것들이 진절머리가 나기 시작했다. 어떻게든 살려고, 어떻게든 이 지루함 속에서 하루하루를 버티려고 발버둥치는 나 자신이 너무 안쓰러웠다.

물론, 얻은 것도 있었다. 희망이라는 것에 대해 알게 되었다. 마치 강제 수용소에서 하루하루를 버티는 죄수와 같이, 나는 매일 중국으로 돌아가게 되는 그 날만을 머릿속에 그리고 또 그리며 살아갔다. 새로운 취미생활도 얻었다. 코바늘뜨기와 철사공예, 그리고 디지털 일러스트와 영상 편집은 무료함으로 가득한 내 일상을 채워주기에 적합했다. 원래 무료함이라곤 견딜 수 없던 내가 무료함을 즐거움으로 바꾸는 법을 배워가는 것을 느꼈다.

2020년 7월.

나는 초등학교를 졸업했다. 물론 졸업식의 모든 과정은 온라인으로 진행되었다. 다른 졸업생 친구들은 이미 다 중국에 들어갔고, 졸업생 중 유일하게 나만 한국에서 졸업식을 하였다. 억울했다. 내가 무려 4년동안 다닌 초등학교에서 졸업을 하는데 졸업가운 한번 입어보지 못하고, 졸업사진조차 합성으로 편집

된 것을 전달받았다. 정말 미칠듯이 중국에 돌아가고 싶었다. 마치 나만 아무도 없는 외딴 섬 위에서 시간을 때우는 기분이였다.

2020년 8월.

학교 수업도 없고, 숙제도 없었다. 하루종일이 백지마냥 나의 계획대로 쓰여지길 기다리고 있었다. 생활 리듬이 깨지기 가장 쉬운 이 시기에, 엄마 덕분에 나는 그나마 규칙적인 생활을 할 수 있었다. 아침에 일어나서 수학과 영어를 공부하고, 책을 정해진 분량만큼 읽은 뒤, 오후에는 마스크를 착용한 채 운동을 갔다오고, 남은 시간은 휴대폰을 보든 티비를 보든 자유시간이 주어졌다.

2020년 9월.

중학교에 입학을 하였다. 그리고, 중국으로 돌아갈 수 있는 길들이 열리기 시작했다. 나와 엄마는 2번째 전세기를 타고 중국으로 돌아간다. 중국 땅에 발을 디딘 후에도 2주간 자가격리라는 악명 높은 절차가 기다리고 있지만 눈앞의 것에만 신경쓰기도 바빴다. 하루하루 손꼽아 기다리던 중국 복귀 날짜가 되었고, 비록 하루종일 비행기를 타고 수속을 하고 많은 절차를 밟아야만 했지만 중국에 도착했을때 비로소 모든 것이 다 해결되는 기분이였다. 말로 이루 다할 수 없는 상쾌감을 느꼈고, 주체할 수 없이 눈물이 흐름을 느꼈다.

물론, 중국에 들어온 후에도 많은 일들이 있었다. 이 이후로도 무려 1년이란 기간 동안 코로나 바이러스는 계속되었고, 다사다난한 일들이 많았지만, 다른 그 어떠한 추억이나 기억과도 비교할 수 없는 독보적인 추억은 아무래도 상술한 2020년 동안의 코로나 바이러스 속 생활인 것 같다. 아직도 가끔 생각에 잠겨 과거를 헤집을 때, 만약 코로나 바이러스가 없었다면 내가 과연 이만큼 성장할 수 있었을까라는 생각을 하곤 한다. 상관관계가 물론 없어 보일 수 있으나, 무료한 코로나 기간동안 내가 한 생각과 고민은 이루 다 말할 수 없을 것이다. 한편으론 짜증나는 일개 바이러스이지만, 코로나 바이러스는 나에게 잊을 수 없는 추억과 성장할 수 있는 기회를 주었다. 코로나 바이러스를 통해 얻을 수 있었던 것들을 되새기며, 나의 코로나 연대기의 여행은 여기서 마치겠다.

작가 소개

1. 작가 소개

안녕하세요! 저는 현재 은하국제학교에 재학 중인 07년생 서지오라고 합니다. 대한민국 서울에서 태어났고, 초등학교 3학년 때 중국으로 오게 되어 고등학교 1학년인 지금까지도 중국에서 살고 있습니다. 평소에도 책과 같은 문학작품을 좋아하고 글 쓰는 것을 좋아해서 커서도 꾸준히 글 쓰는 생활을 이어가 작가가 되고 싶습니다.

2. 수상 및 참가 소감

작년에 제2회 청소년 문학의 밤에 참가하였는데, 너무 좋은 경험을 하였던 것 같아 올해도 참가하게 되었습니다. 올해도 마찬가지로 너무 좋은 경험이 되었던 것 같아 감사하고, 작가라는 꿈에 한 발짝 더 다가갈 수 있었던 것 같아 이런 행사를 주최해 주신 관장님과 행사를 기획해 주신 서포터즈 분들께 다시 한번 감사드리는 마음입니다.

3. 앞으로 어떤 글을 쓰고 싶어요?

앞으로 커서 대학에 가면 제 전공을 살려서 에세이 형식의 전공 서적을 써 보고 싶습니다. 또, 어릴 때부터 소설을 즐겨 읽어왔고 지금도 제일 좋아하는 책 장르가 소설책이라 소설과 같은 글도 써 보고 싶습니다.

신작

<마법>

"과학에서는 새로운 실험 결과와 참신한 아이디어가 나올 때마다 그 전에는 신비라는 이름으로 포장돼 있던 미지의 사실이 설명될 수 있는 합리적 현상으로 바뀌어 간다."

_칼 세이건, 『코스모스』(사이언스북, p. 29

나는 과학과 우주를 좋아한다. 글쓰기와 그림 그리기도 좋아한다. 노래를 듣는 것과 생각에 잠겨 멍때리는 것도 좋아한다.

얼핏 보면 서로 관련도 없고 공통점도 없는, 다양한 별들이 엉성하게 모여 있는 성단과 같은 나의 관심사들이나, 조금 더 멀리 떨어져 보았을 때, 이들은 항성계들이 모여 은하를 이루듯 '나'라는 존재를 이룬다.

사실, 이 관심사들이 서로 전혀 관련이 있지 않은 것만은 아니다. 과학은 우리에게 매우 자연스럽게 여겨졌던 세상의 법칙들을 수치화하여 우리가 결코 상상도 할 수 없었던, 마치 마법과 같은 현상을 이끌어낸다. 글쓰기는 나의 생각과 나에 대한 사소한 디테일까지, 순전히 나라는 사람을 종이 위에 새겨 넣을 수 있게 하는 마법같은 힘을 자랑한다. 그림을 그리는 것 역시, 한 장의 그림에 내가 좋아하는 색상, 그림체, 나의 기분, 나의 생각

등 나에 관한 모든 것들을 짧은 시간 안에 마법처럼 축소시켜 종이에 표현한다는 힘을 지니고 있다. 노래를 듣는 것이나 생각에 잠겨 멍을 때리는 것도, 내가 실질적인 일을 하지 않았음에도 나에게 에너지가 충전되고, 나라는 사람에 대해 더 깊이 고찰할 수 있게 하는, 어찌 보면 과학적 법칙을 위배하는 큰 힘을 가진 마법과 같다.

그렇지만 나는 결국 내가 앞서 말한 이 '마법'이라는 것이, 어쩌면 우리가 살고 있는 이 코스모스로까지 연결될 수 있을지도 모른다고 생각한다. 칼 세이건이 『코스모스』에서 언급하였듯, 이 코스모스의 어느 한 곳을 무작위로 찍었을 때, 그 공간이 운 좋게도 행성 바로 위나 그 근처일 확률은 고작 10^-33에 불과하다. 거기에다가 통계 자료에 의한, 우리가 살아있을 확률은 2.5*10^-15이다. 그렇다면 우리가 정말 운이 좋게도 코스모스의 어떠한 한 행성 위에 태어나 살아있을 확률은 2.5*10^-48에 불과하다는 뜻이다. 이런 각박한 확률을 뚫고도 우리가 현재 살아있을 수 있다는 건 정말 마법이란 단어 말고는 서술할 수 있는 용어가 없지 않는가?

나의 관심사들이 전부 마법이라는 단어로 연관성이 찾아진다는 점에서, 그 관심사들이 이루는 나라는 사람이 현재 살아있다는 것이 마법이라는 사실은 정말 아이러니하다. 비록 이 글에선 이 글의 작성자인 나에 대한 기준치밖에 적지 못하였으나, 장담컨대 이 세상 그 누구의 관심사를 꺼내 놓고 그들의 공통점을 비교한대도 그 관심사들이 전부 마법이라는 단어로 연결될 수 있을 것이다.

우리 모두의 존재는 마법과 같은 것인 만큼, 주위 사람들의 존재를 소중히 여기고 각자 스스로를 소중히 여길 수 있기를 지지하며, 이 글을 마친다.

본상 수상작

나의 코로나 연대기

김진혁(사립칭다오교주영자학교 국제부 해랑학교 9학년)

주말 저녁에 나는 언제나처럼 학교에 갈 준비를 하기 위해 가방을 싸고 이빨을 닦은 뒤 잠자리에 들 준비를 했다. 밤은 평소와 같이 조용했고 평화로웠다, 모든 것이 평소와 같은 것 같았다. 그러던 내가 인류의 역사에 새겨질 만한 사건을 직접 겪게 될 줄은 꿈에도 몰랐다. 그것은 바로 모두가 한때 두려워했던 바이러스, 코로나19가 세상에 알려지게 된 것이다. 다음 날 아침 나는 엄마로부터 뜻밖의 소식을 듣게 되었다. 세상에 새로운 바이러스가 퍼졌으며 이것으로 인해 우리 학교에서 3일 정도 등교하지 말라는 공지가 왔다는 것이다. 나는 처음에는 두렵다는 느낌보다는 오히려 굉장히 신이 났다. 아니 사실 오히려 이런 반응이 당연할지도 모른다. 사태의 심각성을 모르는 초등학생에게 있어서 새로운 바이러스가 발견되었다는 것보다는 월요일에 갈 줄 알았던 너무나도 가기 싫은 학교를 갑자기 3일 정도 쉰다고 하니 너무나도 기뻤다.

얼굴에 근심·걱정을 가지고 계신 엄마를 두고 난 바로 침대로 몸을 내던졌다, 너무나도 좋았다. 적어도 3일 동안은 무서운 선생님의 얼굴과 지긋지긋한 숙제에서부터 해방된 것이다. 나는 하루 동안 내가 미처 하지 못한 것들을 하기로 했다. 밀려있던 텔레비전 보기, 만화책 보기, 하루 종일 휴대전화만 하기 등 3일의 꿈만 같은 시간 동안 난 그동안 내가 평소에 하고 싶었던 일들을 모두 끝마쳤다. 그러나 아무리 자유라고 한들 밖에 나가지도 못하고 3일 동안 집안에만 있는 것은 답답하면서도 힘든 일이었다. 나는 슬슬 나의 친구들이 보고 싶어지기 시작했다. 친구들과 웃고 떠들고 장난을 치며 같이 뛰어놀고 싶었다. 그래서 나는 빨리 내일이 되길 바라며 얼른 잘 준비를 마치고 잠자리에 들었다.

그러나 나의 평화로울 것만 같았던 일상이 변화하기 시작한 것은 이때부터였다. 다음날 나는 셔틀버스를 타고 학교에 가기 위해 집 밖으로 나갔다. 평소와 다른 점은 얼굴에 답답한 마스크를 하루 종일 쓰고 있어야 했던 것이다. 아무튼 나는 버스를 타고 학교에 갔다, 그러나 우리 학교의 모습은 나의 기억과 달라져 있었다. 나의 친구들은 모두 얼굴에 새하얀 마스크를 쓰고 있었고, 수업 시간에 같이 떠들고 장난치던 나의 짝꿍 자리는 저 멀리 떨어져 있었다. 그리고 교실에서는 이상한 화학약품의 냄새가 은은히 올라왔다. 아마도 소독약 냄새인 것 같았다. 나는 몹시 당황하며 주변을 둘러보았다. 친구들도 당황한 건 마찬가지인 것 같았다. 그러던 중 마스크를 쓰신 선생님께서 교실에 들어오셔서 우리에게 말씀하셨다. 앞으로는 이렇게 모두 마스크를 쓰고 학교생활을 해야 한다는 소식이었다. 처음에는 당황하였지만, 이러한 생활도 금방 적응했다.

그러나 이것은 아직 시작에 불과했다. 나는 새로운 방식에 적응하며 학교에 다니던 중 새로운 소식을 듣게 되었다. 그것은 바로 코로나가 심각해져서 내일부터 온라인 수업으로 전환하게 되었다는 것이었다. 이것만으로도 나는 충격을 받았지만 더 충격적이었던 것은 바로 내가 살고 있는 아파트 단지가 봉쇄되어서 나갈 수 없다는 소식이었다. 이전까지는 그래도 마스크를 써야 할 뿐 활동은 자유롭게 할 수 있었지만 이제는 그것마저도 할 수 없게 되었다. 나는 매일 아침 새벽에 나가 코로나 검사를 받기 위해 서 있는 끝이 보이지 않는 줄에 서서 검사받은 후 인증 스티커를 받아야만 했다. 처음에는 괜찮았지만 스티커가 점점 쌓여 4차, 5차, 6차 인증 스티커를 받을 때쯤 나는 너무나도 지치고 힘들었다. 친구들과 함께 모여서 뛰어놀고 했던 아파트 단지는 마치 교도소 같았으며, 그 속에 갇힌 우리는 마치 수감자들 같았다. 그리고 이러한 과정에서 검사 받기 위해 줄을 선 아파트 주민과 우리를 안내하던 공무원 사이의 말싸움까지 목격했다. 나는 순간 무서웠다. 그저 언젠간 이런 상황이 나아지기를 바랄 뿐이었다. 그렇게 몇 개월의 시간이 흐른 뒤 영원히 계속될 것만 같았던 코로나19가 점점 수그러들기 시작했다. 나는 드디어 다시 학교에 다닐 수 있게 되었다. 오랜만에 학교에 갈 생각을 하니 굉장히 어색했지만 이미 한번 경험했던 일이라 그런지 적응하는 데 다행히 그리 오래 걸리진 않았다. 그렇게 몇 개월의 시간이 바쁘게 지나갔다. 그리고 정신을 차려보니 어느새 난 초등학교 생활의 끝을 알리는 졸업식을 진행하고 있었다. 나는 단상에 올라가서 교장선생님으로부터 졸업장을 받은 후 다른 친구들이 졸업장 받는 것을 기다리고 있었다. 나는 밝은 조명 밑에서 의자에 앉아있는 사람들을 보았다. 나의 부모님을 비롯한 많은 사람이 나의 졸업을 축하해 주기 위해 졸업식에 방문했다. 비록 그들이 얼굴에 마스크를 써서 얼굴을 볼 수는 없었지만 난 그들의 눈빛을 보고 날 진심으로 축하해 주고 있다는 것을 느꼈다.

나는 고개를 돌려 내 옆에 서 있는 친구들을 보자 순간적으로 눈물이 나왔다. 다시는 그들을 보지 못할 수도 있다는 생각에 울컥했다. 그러나 난 이내 마음을 다잡았다. 같은 학교에 다니지 않는다고 해서 보지 못하는 것도 아니고 이건 끝이 아니라 새로운 시작이라는 것을 알기에 난 더 이상 아쉬워하지 않기로 했다. 그렇게 난 다 함께 졸업사진을 찍었다. 졸업사진엔 모두의 추억이 담겨있었다. 그러나 한 가지 특이한 점은 모두 마스크를 쓰고 있었다. 그렇게 나는 두 번 다시 없을, 두 번 다시 경험하고 싶지도 않은 남들과 조금 다른 졸업식을 끝마쳤다.

중학교에 왔다고 해서 딱히 많은 것이 달라지진 않았다. 몇몇 친구들은 나와 같은 학교에 다니고 있고, 수업도 걱정과는 달리 이해하지 못할 정도로 어렵지 않았다, 심지어 이 지긋지긋한 코로나도 여전히 나의 곁에 있다. 이러한 생활이 언제까지 지속될

지는 아무도 모르겠지만 난 사람들이 힘을 합쳐 언젠간 걱정 없이 살 수 있는 날이 올 것이라고 믿고 있다. 그렇게 난 오늘도 믿음을 가지고 학교에 갈 준비를 마친 채 잠자리에 들었다.

작가 소개

1. 작가 소개

안녕하세요. 저는 해랑학교에 다니고 있는 중학교 3학년 김진혁이라고 합니다. 저희 부모님은 일때문에 중국에서 거주하고 있고 덕분에 저도 중국에서 열심히 공부를 하고 있습니다. 이번에 대회를 하면서 세상은 넓고 글을 잘 쓰는 사람은 많다는 것을 알게 되었습니다. 그래서 이 경험을 바탕으로 앞으로도 노력해서 좋은 글을 써보도록 하겠습니다.

2. 수상 및 참가 소감

제가 이번 대회에 참가하게 된 계기는 저희 반 담임 선생님이자 국어 선생님의 추천으로 이 대회를 참가하게 되었습니다. 처음 참가하는 대회인 만큼 과연 내가 쓴 글이 좋은 성적을 거둘 수 있을까? 하는 생각도 들긴 했지만 선생님의 조언대로 경험을 쌓는 기회로 생각하고 대회에 참가했는데요. 그러나 예선에서 탈락할 것 같았던 저의 예상과 달리 운 좋게도 저의 글은 상을 수상하였는데요. 아마도 저의 솔직한 생각을 쓴 글이 빛을 발휘한 것 같습니다. 이번 대회를 통해서 저는 세상은 넓고 글을 잘 쓰는 사람은 많다는 걸 알게 되었는데요. 나름 저희 반에서 글을 잘 쓴다고 생각했는데 제가 그저 우물 안 개구리였다는 걸 깨닫게 해준 좋은 경험이었던 것 같습니다.

3. 앞으로 어떤 글을 쓰고 싶어요?

저는 앞으로 사람들이 읽고 여운을 느끼는 글을 쓰고 싶습니다. 제가 좋아하는 책 중 《지킬 박사와 하이드 씨》라는 책이 있는데요, 작중 누구에게나 친절하고 정중하던 지킬 박사도 추악한 이면인 하이드 씨의 모습으로 활보한 것을 보고 전 누구에게나 저런 남들에게 들켜선 안되는 숨겨진 면이 있을 수 있다는 것을 알고 큰 충격과 싶은 여운을 느꼈는데요. 저도 이러한 책들을 통해 독자의 머리 속에 깊은 인상을 남겨주는 글을 쓰고 싶습니다.

신작

〈우리 형〉

언제나 아침에 늦잠을 자 깨우러 가야했던 우리 형

언제나 심심할 때 나와 함께 놀아주던 우리 형

언제나 집에 오면 방에 있을 것 같던 우리 형

이제는 멀리 떨어져 자주 볼 수 없는 우리 형

함께 있지 못하니 더욱 보고 싶은 우리 형

관계의 정의

지유빈(칭다오청운한국학교 12학년)

하나, 둘, 셋. 사진 하나를 찍어도 3초를 주는데 이런 만남은 참 인정사정없다. 예고도 없고 복선도 없고 그냥 속수무책. 코로나는 나에게 그런 존재였다. 코로나로 인한 격리로 연락과 만남의 빈도가 줄었다. 그저 온라인 수업을 통해 사회와 연결되어 있다는 것을 깨달을 뿐이었다. 하지만 어느새인가 그저 편하게, 즐겁게만 그 친구와의 관계를 유지할 수 없다는 생각이 들었다. 나는 오랜만에 심리적인 단절감을 느꼈다. 조용하다 못해 적적한 새벽의 거리에 적막감이 몰려오면 폐허처럼 황량하고 적막한 짙은 어둠 아래 기침 한 방이 적막을 깬다. 안개를 가르고, 바람을 맞고, 빗속을 달려 도착한 곳은 또 다른 폐허였으니. 벗어나려 도망쳐도 내 길은 오로지 외길이었다. 생명의 단말마, 그 안의 딜레마.

줄곧 남겨짐이 일상이던 관계성은 끊음을 필두로 필요하다. 비워 낸 지 오래된 문장에 감정을 찌우는 것만큼 미련이 없다는 걸 알지만, 그럼에도 세월을 청산하다 얻은 잔여물은 한순간에 부푼다는 걸 간과한 탓이 크다. 오랜만이라는 별 눈꼴사납지도 않은 안부 인사에 공들인 몇 년이 무너진다는 건 여태 시간에 갇혔다는 반증인가. 시답지 않던 말투와 곧 침몰당할 것 같은 눈동자에 이제 와 켕기는 구석은 하나 없어도 어쩐지 나 홀로 무한대로 흘러가는 루프물에 갇힌 기분이었다.

나는 마침표 찍은 후로 성격이든 감정이든 전부 죽였다 생각했는데, 여전히 소란을 몰지 않으면 입에 가시가 돋는다. 결국 미지에 그칠 뿐이겠지만 변화는 미래를 초래하는 데에 딱 좋은 조건일지라도 극구 보수적인 고집을 못 꺾는다. 내가 이렇다. 물론 네게는 익히 알던 사항 중 하나겠지. 끝은 언제나 새로운 시작이라는 말이 있다. 비록 서서히 멀어진 후 과잉된 평정심이 끗발이 된 광경이지만서도. 모양새 내세우는 것 말고는 속없던 내가 지금은 모양 다 빠진 꼴로 애틋함 하나 붙잡는 걸 어쩌면 미련의 증거로 내세울 수 있지 않나 싶었다.

중력이 온전하지 않은 명왕성처럼, 늘 불안한 모습을 보였다. 늘 관리를 하고 상처 하나 없이 깨끗했던 것이, 나중에는 작은 상처가 여러 군데 보였다. 그리고 우리의 관계가 변했다는 사실은 제 탓이라고 생각하기 바빴다. 작게 시작한 오해와 자책감은 어느새 눈덩이처럼 불어났다. 도대체 무엇이 우리를 이렇게 만든 걸까. 어디서부터 궤도가 틀어진 걸까. 아무리 생각을 뒤집어도 알 수 없었다. 어쩌면 우리는 배척이 된 명왕성처럼, 시작부터 틀어진 궤도를 타고 있던 건 아닐까. 발목 잡힌 시간에 나

혼자만 묶인 걸 알고 있다. 그래도 돌고 돌아 그곳에서 자리를 지키는 친했던 내가 네 눈에 한 번이라도 밟히거든 우연을 가장해 동정 한 스푼 정도는 흘리고 갈 수 있는 거 아닌가. 학교 정문 앞길에서 횡단보도 건너 십 분, 담소에 정신 할애하고 청춘을 즐기던 카페는 늘 그곳에 있으니까.

도태된 감정과 도래하는 적정 세기에 직결되는 게 곧 적막 깊은 공백, 그러니까 추억을 향한 그리움 혹은 나 홀로의 외로움. 엔딩 크레딧이 올라가고 극장에 불이 켜져도 쿠키 영상에 대한 미련을 못 놓는 비련이 이 관계의 진정한 엔딩이라면 기꺼이 마지막 관객으로 네가 남아 주었으면. 마지막 관객의 부가적인 잔여 추억거리를 치운 감상평은 서정적인 단어로 독한 문장을 만들어 낸다. 의견 수렴도 차기작이 있어야 반영하는 거지, 현실은 꽤 일방적이기에 모든 시나리오는 글자에서 그친다.

내가 내 삶에 집중해야 할 최적의 시기가 분명히 있다는 것을 깨달았다. 그리고 나에게는 그 시기가 코로나였던 것 같다. 사유가 무엇이던, 남들이 뭐라고 하던 내가 느끼는 감정이 정답이었다. 나를 위한 삶을 살기 위해서는 자신에 대한 집착을 타인에 대한 관심으로 돌려야 한다. 그러기 위해서는 직면한 것이 누구의 것인지 명확하게 구분해야 한다. 그리고 나의 것에 타인이 개입하지 못하게 하고, 나 또한 그것에 침범하지 않는다. 타인을 철저하게 무시하라는 말이 아니다. 언제든 도와줄 수 있다는 의사는 표현하되, 사사건건 개입하지 않아야 한다는 것이다. 나는 이 시기를 통해 타인을 위한 삶을 살려는 나의 집착을 타인에 대한 관심으로 돌리는 것을 배우고 깨달았다.

사람 인人, 그 한자를 보면 두 획이 서로에게 기대어 있다. 이처럼 관계라는 것은 서로 주고 받는 것이다. 나는 늘 관계에 있어서 무지했지만, 친구 관계를 맺기 시작하고서는 알게 되었다. 내가 주기만 해서는 이어질 수 없는 것, 그것이 관계라는 것을. 내가 갈망하는 건 사랑만이 아닌 관계라는 것을. 나는 사랑도 관심도 아닌 관계를 갈망하는 중이다.

작가 소개

1. 작가 소개

안녕하세요, 지유빈입니다. 저는 일상 속에서 발견한 것들을 녹여내며 그 속에 내제된 감성을 불러일으키고 싶은 작가입니다.

2. 수상 및 참가 소감

저는 작년에 이어서 이번에도 문학의 밤에 참가하게 되었습니다. 코로나를 겪었던 학생으로서 저의 학창 시절에 관한 이야기를 한 번 더 남겨 보고자 참가하게 되었습니다. 이번 문학의 밤을 통해서는 저만의 답을 찾을 수 있었습니다. 따라서 수상 이외에도 많은 것을 얻고 가는 것 같아 기쁩니다. 또한 학창 시절을 되돌아보며 이것을 글로 남기게 되어 더욱 소중한 기억으로 남을 것 같습니다. 감사합니다.

3. 앞으로 어떤 글을 쓰고 싶어요?

앞으로 저는 담백한 글을 많이 쓰고 싶습니다. 담백함을 통해, 제 글이 많은 사람들에게 편안함을 주었으면 좋겠습니다. 따라서 저는 다 읽고 덮었을 때 마음이 편안해질 수 있는 글을 쓰고 싶습니다.

신작

<오보>

사랑도 색이 바랜다면 종이와 같을까. 간격도 없는 이 틀이 미세화되고 결국 사치스러움을 삶의 낙이라고 하였을 때 사람들은 무의미한 약속을 곱씹고 정교해진 고민을 새긴다. 반짝이지만 무력한 여름, 이 시대 낭만에 일조하는 것은 순정과 어울리는 열기. 우리에게 내일은 묵음처럼 존재하는 것. 그렇게 내일의 날씨는 소란스럽게 바뀌고 있었다. 예보는 과학이며 누구든 감으로 판단하지 않는다. 예측은 실재하지 않지만, 어떤 것도 불가결이 될 수 없고, 사랑도 그랬다. 봄이 가고 겨울이 오듯이 나에게 사랑은 숨 쉬는 것처럼 당연한 순리라고 생각했다. 기후변화처럼 말도 안 되는 오보가 생기기 전에는.

여느 때와 다르게 날씨로 집중한 그 시절, 사시사철 날씨는 때때로 변덕을 부렸고 결국 그에 따른 알고리즘은 유난히 거셌다. 모범생 타이틀을 손에 쥐는 건 생각보다 어렵지 않았으며 이별이라는 투명한 글자는 어리석게도 씻길 줄 알고 억세게 내리는 빗줄기에 밤새 적셨지만, 익숙한 감기만 걸리고 낯선 속임은 여전히 저릿하다. 아, 어렵다. 이게 뭐라고 이렇게 애를 쓰는지. 사랑하고 사랑받는 일이 이토록이나 힘이 드는 일인지. 이렇게나 힘든 감정을 사람들은 뭐가 좋다고 죽고 못 사는지.

마치 이상 기후처럼 알 수 없는 시그널로 대응할 수 없는 상태가 되며 환절기 같은 일시적인 현상 때문에 괴롭게 한다. 온도에 따라 폭염 특보, 호우 특보가 내려지는 것처럼 짧은 시간에 돌발적이라 예보가 어려운 일도 발생하는 것도 마찬가지. 날씨처럼 변덕스러운 사랑도 이런 것일까. 꼭 배제될 수는 없지. 해매는 일이 생각보다 영 좋지는 않다. 이젠 이런 말도 안 되는 사랑은 두 번 다시는 안 하겠다고 결심을 했지만… 불가피한 적신호. 또 내 인생에 종지부를 찍다니.

무한한 동시에 유한한 삶을 사는 사람은 어느 순간부터 필사적인 거고, 나는 어느 순간부터 필사적이면 되는 걸까. 사랑에 대한 고민은 아마추어에게는 허용되지 않았나 보다. 풋내기의 카메라 속 모습보다, 직접 눈으로 담은 모습이 훨씬 아름다웠다는 걸 직접 말해 주고 싶었다. 끈적한 넋을 잃은 채 눅진한 마음을 고백할 동경과 선망의 감정도 사랑이 될 수 있을까. 헛기침이나 해대며 편지를 손에 쥐고 시작 소리와 함께 심장을 뱉는다. 수틀리면 고해성사로 들리겠지만 속아 주었으면. 엉망인 내 동화에서 그 정돈 만끽해도 되지 않겠는가.

본상 수상작

나의 코로나 연대기

박서현(사립칭다오교주영자학교 국제부 해랑학교 9학년)

어느 날, 나는 코로나라는 병으로 인해 나의 평범했던 일상을 빼앗겼다. 아직도 그때가 생생하게 기억난다. 내가 초등학교 6학년 때였을 것이다. 나는 초등학교에서 가장 높은 반이 되었고, 졸업만을 기대하며 하루하루를 보냈다. 그러던 중, 겨울방학 때 코로나가 터졌다. 학교에 가지 못했고, 친구들과 만나지 못했고, 마음대로 놀러 다니지도, 집 밖으로 나가지도 못했다. 그저 평범하고 즐겁던 일상이 한순간에 뒤바뀐 것이었다. 갑자기 바뀌어 버린 일상이 답답했고, 싫었고, 한편으론 짜증도 났다. 이 병을 터지게 만든 사람들이 중국 한 도시의 사람들이라는 것을 듣고, 속으로 욕하기도 하고, 원망하기도 했다. 하지만, 내가 아무리 짜증을 내고 힘들어해도 바뀌는 것은 무엇 하나 없었다. 나는 그저 이런 상황이 어이없었지만, 적응하고, 이겨내기로 마음을 먹었다. 비록 아직 철이 덜 들었고, 한창 장난꾸러기일지도 모르는 나이였지만, 그때는 '어쩔 수 없지'라는 생각이었던 것 같다.

처음엔 갑자기 터져버린 병에, 나라에서는 사람들을 격리하고, 공항을 막느라 바빴고, 아플 때만 쓰던 마스크는 어느새 의무화 되어있었다. 나라의 노력에도 불구하고, 이런 마음과 상황을 모르는 코로나라는 병은 순식간에 전 세계를 휩쓸었고, 이틀에 한 번, 짧으면 하루에 한 번씩 핵산 검사를 받게 되었다. 매일 아침, 비몽사몽인 몸과 정신을 이끌고 핵산 검사를 하러 가던 때를 생각하면 여전히 끔찍하다. 이런 상황이 계속되자, 교육부에서도 등교를 막았다. 이에 따라 우리는 온라인 수업을 하게 되었다. 바람이 쌩쌩 부는 날에는 인터넷이 약해져서 수업이 자주 끊기곤 했다. 예상할 수 있듯이, 온라인 수업 기간, 나와 내 친구들의 시험 성적은 말 그대로 바닥을 쳤다. 몇년 안되는 인생이었지만, 그때의 나에겐 인생 최하점이었다. 이런 일상이 익숙해질 때쯤, 코로나가 슬쩍 우리에게서 한 발짝 물러났다. 많이는 아니지만, 친구들끼리 모일 수 있었고, 학교에 갈 수 있었다. 집에만 갇혀 살다 보니, 평소엔 그렇게 싫어하던 학교가 반갑게 느껴졌다. 하지만, 학교에 가기 시작할 때쯤에 나는 이미 6학년을 졸업할 때가 되어있었고, 쉽지 않은 상황 속에서도, 선생님들은 우리 반 친구들을 위해 졸업 파티를 준비해 주셨다. 많지 않은 학생 수였지만, 그 어떤 학교 학생들보다도 즐겁고, 행복하게 나의 졸업을 보냈던 것 같다.

눈 깜짝 사이에, 나는 중학생이 되었고, 학교를 새로운 학교로 옮겼다. 모든 환경이 낯설고 새로웠다. 오직 하나, 코로나만

빼고. 나의 중1 생활도 항상 코로나와 함께였다. 여전히 코로나는 우리의 곁에서 맴돌며 떠나지 않고 있었다. 이때쯤엔 이런 생활에 완벽히 적응했었다. 아침마다 짜증을 내며 받던 핵산 검사를, 친구들과 수다를 떨며 나가서 받고, 세상 답답하던 마스크가 옷을 입듯이 당연한 것이 되었다. 하지만, 이러한 생활도 그리 오래가지 못했다. 코로나가 다시 한번 심하게 터져, 교육부에서 또다시 학교를 막은 것이었다. 나는 '내 중1 생활은 코로나를 피하다가 끝나겠구나' 싶었지만 생각보다 오래 가진 않았다. 수많은 사람이 코로나에 걸리고, 목숨을 잃기도 했지만, 신기하게도 나는 코로나에 한 번도 걸리지 않았고, 나는 나의 체력과 면역력이 정말 최고라고 생각하며 지냈다.

내가 중2 때, 격리에 지친 중국이 막았던 모든 것을 하나씩 풀기 전까지는. 난 내가 강한 줄 알았기에, 중국이 격리를 푸는 것에 관심조차 주지 않았다. 하지만, 며칠 뒤, 내 주변 사람들이 하나둘 아프기 시작하면서 나에게 공포심을 주었다. 아니나 다를까, 나는 모두와 같이, 그 누구보다 빠르게 코로나에 걸리고 말았다. 무려 격리를 푼 지 3일 만에. 딱 이 시간 때 나는 '중국이 정말 격리를 잘 시켰고, 관리를 잘했구나!'라는 것을 느끼게 했다. 격리를 푸는 순간, 청도에 있는 거의 모든 학생이 도미노 타듯이 순서대로 우르르 코로나에 걸리기 시작했기 때문이다. 난 정말 나에게 무슨 일이 생길까 무서웠지만, 다행히 모든 일이 생각보다 순조롭게 지나가 줬고, 코로나도 점점 잠잠해지고 있었다.

중2가 끝나갈 때쯤, 지긋지긋하던 코로나가 끝나간다는 뉴스가 나오기 시작했다. 나는 '결국 모두 걸리고 말 거였으면, 진작부터 그러지'라는 생각밖에 들지 않았다. 결국 수년간 연구한 백신도, 격리도, 마스크도, 그 무엇보다도 면역력이 중요하단 걸 깨닫게 해줬던 것 같다. 백신도 막지 못했던 코로나를, 한 번씩 걸려서 항생체를 만들고 나니, 사람들에게 면역력이 생기면서 코로나가 잠잠해진 게 맞는 것 같다.

내가 중3이 된 지금은, 코로나가 사라졌다. 정확히는 코로나라는 병이 사라진 것이 아니라, 우리의 일상을 빼앗아 가고, 우리를 괴롭게 만들던 시절의 코로나가 사라진 것이다. 매일 아침 귀찮게 핵산 검사를 받지 않아도 되고, 마스크를 쓸 필요도, 사람들과 만나는 것을 줄일 이유도, 코로나와 관련되어 있던 모든 것들이 풀렸고, 나는 나의 일상을 코로나로부터 돌려받았다.

난 여전히 코로나가 나타나지 않았을 때의 상황을 상상하곤 한다. 만약 그랬다면, 나는 내 초등학교 생활을 완벽하게 끝낼 수 있었을 것이고, 마스크를 쓰고 아파하며 걱정할 필요도 없었을 것이다. 사실 나는 코로나라는 병을 평생 영원히 원망할 것 같다. 나의 일상을 송두리째 앗아간 죄로. 그래도 생각하다 보면, 그때, 코로나가 터졌던 그때의 내가 있었기에 지금의 내가 형성된 게 아닐까 라는 생각이 들기도 했다. 비록 좋은 경험은 아니었지만, 나와 친구들에게는 사람들 몰래 만나서 놀고 수다를 떨던 그때의 추억과 기억이 여전히 새록새록 돋곤 한다. 그런 기분을 느껴보는 게 처음은 아니었지만, 어쩌면 코로나의 영향도 컸던 것 같다.

작가 소개

1. 작가 소개

안녕하세요. 저는 칭다오 해랑학교에 다니고 있는 중3 박서현이라고 합니다. 사실 저는 문학 관련된 작품들에 대해 지금까지 큰 흥미를 느끼지 못했어요. 하지만 이번 경험을 통해 점점 흥미가 생겨가는 것 같아요.

2. 수상 및 참가 소감

저는 여태까지 문학이란 학문에 대해서는 전혀 관심이 없었고, 이런 문학의 밤이란 행사가 있는지도 몰랐습니다. 하지만 이번에 선생님의 제안으로 과제 및 경험 삼아서 도전해 본 저의 첫 문학의 밤이 해피엔딩으로 끝이 나 여전히 그날의 여운이 남아있는 것 같기도 합니다. 사실 저는 지금까지 제가 글 쓰는데 큰 재능이 없고, 문과 쪽으로는 안되겠다 생각하며 지냈는데, 이번 문학의 밤으로 저의 실력이 나쁘지 않다는 것, 어떻게 보면 남들보단 좀 더 잘하고 있을지도 모른다는 생각이 순간 머리를 한대 친 것만 같았습니다. 지금까지 도전도 한번 해보지 않고, 안된다 단정짓던 과거의 제가 부끄럽기도 했습니다. 하지만 이제는 처음과 달리 제가 직접 쓴 글로 상을 받는 기분을 한번 느껴보니 중독된 것 마냥 자꾸 또 도전하고 시도하고 싶어집니다. 언젠가 그 누구보다 열심히 노력하여, 가장 멋지고 감동을 줄 수 있는 그런 글을 쓸 수 있게 될 날을 기대하며 살아갈 것 같습니다.

어떻게 보면 제가 원해서 직접 낸 글이 아니기도 합니다. 집착과도 같던 선생님의 제안 덕분에 이런 수상소감을 작성할 수 있는 것일 테니까요. 선생님께 항상 감사드린다고 꼭 말씀드리고 싶습니다. 아무리 학생들이 싫다 귀찮다 해도 끝까지 포기하지 않으시고 옆에서 부추겨주신 덕분에 상을 받을 수 있었습니다.

3. 앞으로 어떤 글을 쓰고 싶어요?

저는 앞으로 사람들에게 감동을 주는 글을 쓰고 싶습니다. 재미나 슬픔 같은 감정은 쉽게 표현할 수 있을지 몰라도 감동만큼은 쉽게 느끼게 할 수 있는 것이 아니라고 생각합니다. 누군가에게는 위로가 누군가에게는 안심이 되는 글을 써 사람들에게 감동을 주는 일, 그게 제가 앞으로 원하는 글의 방향입니다.

신작

<겨울>

어느새 떨어진 나뭇잎들이

새로운 계절의 시작을 알린다

돌고 돌아도 변하지 않는

언제나 나를 찾아오는 계절

태양이 될 수 없다면

조다빈(칭다오청운한국학교 12학년)

만약 이 세상이 소설 속이라면, 나는 어떤 역할을 하고 있을까? 다섯 살의 나는 빛나는 아이돌 가수였고, 초등학생의 나는 똑 부러진 기상 캐스터이었다. 하지만 시간이 흘러 중학교 2학년이 된 나는 이름도 주어지지 않은 엑스트라 1이 되어있었다.

엑스트라 1은 태양을 동경하는 사람이었다. 그녀는 늘 야망이 넘쳤으며, 언제나 정상을 차지하기 위해 고군분투하는 사람이었다. 하지만 애석하게도, 이 소설 속의 작가는 결코 이름 없는 엑스트라 따위에게 중대한 서사를 부여하지 않았다. 그럼에도 빛나는 주인공이 되고 싶던 그녀는 스포트라이트를 받기 위해 다른 등장인물을 발판 삼는 것을 마다하지 않았다. 그녀는 자신의 이익을 위해서만 말하고 행동했으며, 대수롭지 않게 상처 주는 말을 쏟아부었다. 그렇게 엑스트라 1은 모두에게 미움받는 악당이 되어서야 주목받을 수 있게 되었다.

존재감 없는 엑스트라 1의 이야기, 즉 나의 이야기는 코로나

19 와 함께 재탄생하게 된다. 청도로 전학을 온 중학교 3학년,
나에게는 주인공이 될 수 있는 마지막 기회가 주어졌다. 나는
태양처럼 빛나는 사람이 되기 위해, 또다시 엑스트라의 여정을
시작했다. '주인공 다워' 지기 위해 나는 지혜를 기르고,, 덕을
쌓고, 건강한 육체를 위해 노력했다. 하지만, 내 손을 거치는 모
든 이야기들은, 나를 비춰주는 것이 아닌 내 주변 사람들을 향
해 빛났다. 솔직히 너무 억울했다, 분했다. 어떻게든 정상에서
기쁨을 누리고 싶었다. 내가 절망에 빠질 때마다, 나를 더 절망
에 빠지게 한 시련은 코로나19이다. 내가 준비하고, 고대했던
모든 것들은 코로나19라는 벽에 막혀 차근차근 무너졌기 때문
이다. 그 벽 앞에 선 나는 하염없이 작은 인간일 뿐이었고, 먼지
에 불과했다. 그리고 시간이 흘러, 고등학교 2학년이 된 나는,
그 벽에 가로막혀 주인공이 되고 싶다는 꿈조차 잃은 사람이
되어있었다. 모든 것을 포기한 나는, 문뜩 코로나19도 나처럼
빛나길 갈망하던 하나의 엑스트라였을 수도 있겠다는 생각을
하게 되었다. 사람들의 관심과 애정이 필요했던 그 작은 엑스트
라는, 전 세계의 절망이 되어 몇 년간 뜨거운 관심을 받는 주인
공이 될 수 있던 것이다. 태양이 되기 위해 물불 가리지 않던
나, 엑스트라 1. 그리고 전 세계인들의 공포와 절망을 거름으로
성장한 코로나19. 이 둘의 모습이 다를 것 없어 보였다. 이 생각
을 하는 순간 수치심과 부끄러움이 나의 볼을 뜨겁게 달구었다.
나의 가장 큰 절망과 닮아있는 나의 모습을 똑바로 직면하는
것은 아프고 힘든 일이었다.

그렇다면 자신을 똑바로 마주한 엑스트라 1은, 결국 이야기 속의 주인공이 되었을까? 그녀는 이야기 속의 주인공이 되는 것은 성공했지만, 태양이 되는 것은 실패했다. 하지만 그녀는 더 행복했다. 이야기의 여정에서, 엑스트라 1은 자신이 가장 빛나는 것보단, 자신의 빛으로 타인을 빛나게 하는 것에 능력이 있다는 것을 깨달았다. 그녀는 혼자 공부하는 것보다는 친구들에게 자신의 지식을 나누는 것이 더 즐거웠다. 혼자 정상에 서 추위에 떠는 것보다는, 팀원을 받쳐주는 것이 더 따뜻했다. 그녀는 결코 태양이 될 수 없었지만 광활한 우주에 작게 빛나는 이름 없는 별이 될 수 있었다. 그녀는 행복했기에 빛날 수 있었다. 그리고 이 이야기 속의 악당, 코로나19 또한 이름 없는 별들과의 전쟁에서 패하고 말았다. 겉으로 드러나지 않고, 자신이 맡은 바를 묵묵히 수행하는 작은 별들은, 어쩌면 태양보다 더 밝게 빛나고 있다. 모든 이야기는 교훈을 지니고 있다고 한다. 그렇다면 엑스트라 1의 이야기의 교훈은 다른 사람, 다른 모습이 아닌, 나 자신이 되라는 것 아닐까? 태양이 될 수 없었던 내가, 별이 되어 빛날 때, 나의 모습을 찾았을 때 가장 행복을 느낀 것처럼. 코로나19라는 공통된 벽을 마주한 모든 이들이 자신의 이야기 속에서 가장 좋은 것, 주인공으로 거듭 날 수 있길 바란다.

태양이 될 수 없다면 별이 되어라
성공과 실패는 크기에 달려있지 않다
무엇이든 가장 좋은 것이 되어라! -더글라스 멜록

작가 소개

1. 작가 소개

세상이 아직은 즐거운 낭랑 18세

2. 수상 및 참가 소감

가벼운 마음으로 글을 썼었는데, 수상하게 되어 당황스럽기도 하고 설레기도 하였습니다.

어렸을 적 자주 듣던 '글 잘 쓴다' 는 칭찬의 유효기간이 연장된 것 같아 스스로가 자랑스럽기도 하네요.

칭다오에서의 마지막 1년, 그리고 저의 마지막 10대의 순수함이 글에 남아있길 바랍니다.

3. 앞으로 어떤 글을 쓰고 싶어요?

좋아하는 것, 심장이 뛰는 일들을 잃지 않고, 삶을 즐기는 어른이 되고 싶어요.

그리고, 그 즐거운 삶의 항해를 글에 녹여내고 싶습니다.

신작

〈비 오는 고속도로〉

칠흑 같은 세상에서도
가로등을 지나갈 때에는
하찮은 물방울도
반짝이는 별로

혹여

고장 난 가로등을 지나갈 때에는
어떡하나요

본상 수상작

나의 코로나 연대기 -나태함의 회고-

조형준(사립칭다오교주영자학교 국제부 해랑학교 12학년)

그 사태로부터 많은 시간이 흘렀다. 2년, 많으면 많지 적다고는 할 수 없을 그 긴 시간 동안 나는 나태함을 벗으로 두었다. 그리고 이것이 내가 저지른, 돌이킬 수 없는 선택이었음을 깨달았을 때는 그것은 이미 나를 비웃고 있었다. 어쩌면 처음 만났을 때부터였을지도.

2020년 2월이었다, 나는 운이 좋게도 사태의 개막이 머지않을 때 한국을 다녀올 수 있었다. 당시에 나는 출발하기 직전부터 코로나의 소식을 들었고 여행 중에도 소식을 간간이 들었지만 나에게 있어 큰 감흥이 없었다. 나는 그저 잠시 지나갈 악재 정도로 취급하며 내 장래를 위한 준비를 이어갔다. 그 후 중국으로 돌아온 지 2주 뒤 봉쇄가 시작되었다.

1주가 지나고- 내 친구들이 하루빨리 집에서 벗어나고 싶다는 메시지 보내며 시시콜콜한 잡담을 이어갔다. 내 주변인들에게 있어 1주일 동안 갇힌 집은 마치 감옥과도 같았겠지만, 나란 인간은 본디 밖에서 뛰어놀기보단 집에서 하고픈 것을 즐기는 극히도 내향적인 사람이었기에 별로 탐탁지 않았다.

2주가 지나고- '생각보다 긴데?'라는 생각이 들었다. 아무리 심한 질병이 나돌았어도 2주씩이나 강제로 막은 건 충분히 드문 일이다. (물론 봉쇄라는 상황 자체가 처음으로 겪은 일이지만) 이쯤부터 나는 집이라는 공간이 슬슬 지루해지기 시작했다.

한 달이 지나고- 이상하다, 한 달이 지났는데 집 앞 대문은 열릴 기미가 보이지를 않는다. 4주, 4주가 지났다. 알에서 병아리가 깨어나 걸음마를 떼고 슬슬 걷기 시작하는, 한 달이라는 시간은 그만큼 긴 시간인 것이다. 집 안에 구비해둔 식량이 절반으로 떨어지고 내 지루함은 극에 달해가고 있었다. 이때 처음으로 나는 내 친구들이 했던 말을 이해하기 시작했다.

한 달 하고 2주가 지났다. 이쯤부터는 모든 게 귀찮았다. 주위에 친구들은 슬슬 이 현상에 대해 적응해 가는 분위기였고 그저 직사각형 판자 속 '위챗'이라는 디지털 보관함 안에 의미 없는 불평들을 쌓아만 갈 뿐이었다.

애초부터 집에서의 공부는 이상하리만큼 통 되지를 않았다. 그중에서도 내 방이란 곳은 집중이란 매개체를 참으로도 허용하지 못하였다. 그런 공간 속에서 한 달을 넘기도록 구속당해 있으니 내 정신은 무기력을 핑계 삼아 나태함을 끌어들이고서는 귀찮음을 안착시켜 어느샌가 나를 책상이 아닌 침대로 정착시켰다. 처음은 사소한 계기였다. 오래간만에 주어진 휴일인

만큼 그간 못해온 취미들을 하나하나 정복하고 싶다는 욕심이 생겨 스마트폰이라는 도구를 들어 그 욕망을 하나둘 달성해 나갔다. 참으로 신기하였다. 공부라는 것은 하나를 달성하기까지 수없는 시간이 걸리며 많은 시간을 들여도 실패라는 선택지가 존재해 성취감 혹은 실패감이라는 양자택일의 확률을 안고서 행해야 하는 그런 지루한 과정이었다. 하지만 취미는? 내가 하고자 하는 것들이 대다수는 짧은 시간 안에 달성할 수 있던 것이다. 행복, 그래 행복이었다. 자기관리라는 명목을 달고 행하는 공부는 부담감, 실망, 우울함을 동반하였지만, 취미는 그런 게 없었다. 마치 나태함이 건내는 달콤한 유혹의 말이었다.

두 달째가 되던 해, 나는 책이라는 것과 이별을 고했다. 펜은 그 존재가치를 부정당한지 오래요, 노트에 빼곡히 적혀 있어야 할 글자들은 발걸음을 멈추었다. 가방에 먼지는 만석이 되었고, 책상은 사람의 손길 닿지 않는 황무지가 되었으니, 핸드폰이라는 직사각형 기체만이 열을 내며 작동할 뿐이었다. 내 낮과 밤은 역전되어 슬슬 내가 사는 곳이 중국인가 지구의 정반대 편인가 의심마저 들 지경일 정도로 내게 시간은 더 이상 족쇄가 아니었다. 이 생활이 잘못됐다는 것을 내 머릿속 누군가가 끝없이 소리쳤지만, 나는 그것을 듣는 것조차도 퍽으로 귀찮았다. 어쩌면 나는 나태함이라는 벗을 앞세워 나 자신의 배덕을 눈감았는지 모른다.

이후로는 날짜를 새는 것조차 귀찮았다. 그저 학교가 문을 열지 못하니 인터넷이라는 가상통신망을 통해 비대면 강의를

시행했다는 것만 기억한다. 한편으론 즐거웠지만 또 한편으론 두려웠다. 지금 내가 하는 짓이 옳은 짓인가? 참으로 한량스러운 삶이 진정 즐거운 것인가? 끝없는 자문이 내 머리를 아프게 할 때마다 나는 내 벗이 건네는 속삭임에 귀를 기울였다. 목소리 없는 답변이 내 사고를 정지시키니 내게 있어서는 마치 마약과도 같았다.

머리가, 머리가 너무 아프다.

"넌 답을 알고 있어."

아니, 듣기 싫다. 벗이여, 날 구원해 주오.

"숨지 마."

제발 그만.

"언제까지 그러고 살 수 있다 생각하지?"

지금은 생각하기 싫어.

"참으로 편리하네, 그치?"

……

코로나 봉쇄가 풀렸다. 학교는 굳게 닫힌 문을 열고, 내 친구들과 선생님을 포함한 지인들의 얼굴을 마주할 수 있게 되었다. 참으로 기쁜 일이다. 분명 기쁜 일이 맞을 것이다. 하지만 나는 이 모든 것이 두려웠다. 규칙, 그래 나는 규칙적인 삶과 거리를 둔 지 오래다. 내 주변은 불평불만을 꿋꿋이 내뱉으면서도 착실하게 자신의 업무를 수행했다. 그런데 나는? 나는 무엇을 했지?

이 길디긴 시간 속에서 그저 누워 의미 없는 하루하루를 보냈지 않았나? 이 사태 전부터도 나는 주변 애들과의 격차가 존재했다. 그런데 이 많은 시간 동안 격차를 좁히기는커녕, 더 없이 멀어지지 않았나? 너희는 어떻게 그런 거지? 난 왜 그런 것이지? 왜 나는 그럴 수 없었지? 두통이 찾아오며 나는 내 벗을 찾아갔다. 허나 그곳에선 비웃고 있는 벗만이 날 마주할 뿐이었다.

사태가 종식된 후를 회고하자면 한마디로, "절망"이었다. 한 치의 어긋남 없이 나와 내 친구들에 격차는 아득히도 멀어졌고, 그간의 대화상대는 그저 직사각형 속 유흥 요소밖에 없었으니, 사람을 대하지 않은 대가는 사교성의 부재로 이어졌다. 자기애는 흔적조차 남기질 않고서 떠나갔고. 인터넷 속에서 바라본 높디높은 이상향만이 내 목표로 자리 잡으니. 나는 뭣도 못 하는 허울뿐이자 굼벵이가 되었을 뿐이다. 한마디로 우울에게 잠식당한 것이다.

이번 사태는 나에게 있어 하나의 경고였다고 생각한다. 나태함은 참으로 달콤하고 사랑스럽게도 우리에게 속삭여 오지만, 그것에 잠식당할수록 스스로의 육체는 썩어 문드러져 간다는 것을. 이 글을 쓰는 지금까지도 그것은 내게 이따금씩 혹하는 제안을 건네 온다. 하지만 지금의 나는 그것을 마주하며 그것의 속내를 파악할 선구안을 가졌으니, 내가 할 것은 그저 그와 대적할 수 있을 굳건할 마음이라.

작가 소개

1. 작가 소개

안녕하세요, 청춘이라는 이야기의 결말을 향해가고 있는 18세 조형준, 필명 영화(灵火)라고합니다.

2. 수상 및 참가 소감

이번 문학상을 처음으로 장문의 글을 써보았습니다. 사실 글의 경험을 쌓기 위하여 이번 문학상에 참가하였는데요, 생각지도 못하게 이런 큰 상을 받게 되어 실감이 나지 않기도 하고, 한편으로 신기하기도 한 감정이네요. 이번 대회를 계기로 글의 대한 견문이 더욱 높아진 것도 같아 내심 기쁘기도 합니다. 제 이야기 속 5막 중 절정에 자리 잡게 된 이번 경험이 앞으로의 인생에서도 더더욱 각별한 추억으로 쭉 남아 회고될 것 같습니다.

3. 앞으로 어떤 글을 쓰고 싶어요?

저의 고민, 인생에서의 경험, 느낀 감정과 새로이 배울 것들을 저 만의 방식대로 이야기라는 도화지 속에 자유롭고도, 찬란하게 표현 하고 싶습니다. ….음 끝으로 남길 말은 역시나 어렵네요. 이번 글이 저의 첫 글인 만큼 수구초심의 마음으로 언젠가 다시 나태에 허덕일 후일의 저에게 제가 좋아하는 글 속의 어구를 인용하여 한마디, 전하죠.

"날개야 다시 돋아라 / 날자. 날자. 한 번만 더 날자꾸나. / 한 번만 더 날아보자꾸나." _이상, 「날개」 중에서

신작

<애(哀)질녁>

하루가 간다.

떨어져 가는 해에 나의 마음을 빗대어
듣는 이 없을 우울을 어디 한번 내뱉어 본다.

저 떨어지는 태양은 나의 마음이요,
다가오는 밤하늘은 나의 근심이라.
어둠은 나만의 애증스런 동반자이니
다시금 떠오르는 태양이야말로 내가 바라오는 희망.

오늘의 하루는 인상 깊었는가?
물음은 의문을 지어 끝없는 뿌리를 내리고
답은 땅속뿌리 끝에 걸치니.
늘 그렇듯 애절이란 감정 만을 답으로 내놓네

칭다오 경향도서관 문학상 심사평

박연준 시인

칭다오에 사는 청소년 여러분 안녕하세요? '제 3회 칭다오 경향도서관 문학상'의 심사를 맡게 되어 영광입니다. 먼저 본심에 올라온 열네 편의 글 중 네 편의 수상작을 고르는 일이 쉽지 않았다는 말씀을 드려야 할 것 같습니다. 자신의 생각을 활달하게 펼친 글들이 많았습니다. 고심 끝에 문장이 안정적이고, 글의 흐름이 일관되며, '스스로 깨달은 가치'를 피력해 독자를 설득하는 글을 선정 기준으로 세웠습니다.

우수상은 임현지(칭다오청운한국학교 9학년)의 '나의 새로운 시작'과 정수인(사립칭다오교주영자학교 국제부 해랑학교 9학년)의 '이 세상에서 가장 공평한 것' 두 작품에 돌아갔습니다. 임현지의 '나의 새로운 시작'은 팬데믹을 겪으며 헤어져 지낼 수밖에 없었던 가족의 소중함을 구체적인 에피소드를 통해 잘 표현한 글입니다. 관념적인 생각이 아닌, 몸으로 겪은 뒤 알게 된 생각을 설득력 있게 쓴 점이 돋보였습니다. 정수인의 '이 세상에서 가장 공평한 것'은 코로나 이후의 시간에 선 '혼란스러운 자아'를 들여다본 관점이 독특했습니다. 오랜만에 만난 사촌들의 성장한 모습에서 시간의 가치를 고찰한 후 "이 세상에서 우리 인간에게 주어진 가장 공평한 것은 시간"이라는 깨달음에 도달하는 점이 근사했습니다.

민병헌(청도이화한국학교 8학년)의 '나와 우리의 이야기'는 물 흐르듯 자연스러운 언술이 돋보이는 개성적인 글이기에 최우수상으로 선정했습니다. 독서량을 짐작하게 하는 어휘력과 문장력, 심각한 이야기를 위트와 유머로 풀어내는 여유, 독자를 상대로 쓰는 글임을 정확히 인식하며 쓰는 자의 태도가 장점입니다.

대상은 진소윤(사립칭다오교주영자학교 국제부 해랑학교 12학년)의 '그리운 일상'으로 선정했습니다. 코로나 시대를 지나오며 "사람과 사람의 관계"의 중요성에 대해 성숙하고 너른 시선으로 사유한 글입니다. "옆에 있는 사람을 눈앞에서 생생하게 볼 수 있다는 것이 축복인 것을. 내가 살아 숨쉬고 움직이는 것이 얼마나 귀중한 것인지를. 이번 위기는 우리의 존재에 대한 의문을 던지게 했다."고 깨달으며 미래 인류가 앞으로 어떻게 연대할 수 있을지, 사유를 확장하며 글을 마무리한 점도 눈에 띄었습니다.

수상자들의 수상을 진심으로 축하합니다. 본선에 오른 강수민, 김민진, 김진혁, 박서현, 서지오, 조다빈, 조형준, 지다빈,

지유빈, 최서이, 열분의 글도 즐겁게 읽었습니다. 수상작으로 뽑힌 글이 완전해서 뽑힌 것이 아니며, 뽑히지 않은 글이 가치가 덜 해 뽑히지 않은 것이 아님을 말씀드립니다. 힘든 시기를 통과하느라 모두 고생 많으셨습니다. 난제를 딛고 각자의 자리에서 무럭무럭 성장한 여러분에게서, 저 또한 많은 것을 배웠음을 고백합니다.

여러분 한 명 한 명은 먼 곳에 떨어진 '작고 귀한 씨앗' 같은 존재입니다. 부디 자중자애하며 자신만이 피울 수 있는 꽃, 나무, 숲이 되시길 바랍니다.

-한국에서, 박연준 씀

박연준 시인

2004년 중앙신인문학상을 통해 작품 활동을 시작했다. 시집 『속눈썹이 지르는 비명』 『아버지는 나를 처제, 하고 불렀다』 『베누스 푸디카』 『밤, 비, 뱀』, 장편소설 『여름과 루비』, 산문집 『소란』 『밤은 길고, 괴롭습니다』 『인생은 이상하게 흐른다』 『모월모일』 『쓰는 기분』 등이 있다.

고마운 분들

재외동포청
주칭다오대한민국총영사관
민주평통자문위원회 칭다오협의회
청도한인(상)회
칭다오경향도서관운영위원회
원광문화원*원요가
마이카롱
제이션
숲카페
하늘가족
우리국제물류
서지오
리언이네
김소예
넥센타이어
김율
윤찬호
김혜은
김정혁
준
김경
아몬드 봉봉
김민진, 김채원, 김서우, 수많은 무명의 교민들,

칭다오청운한국학교, 청도이화한국학교,
청도은하국제학교, 청도대원학교,
사립칭다오교주영자학교 국제부 해랑학교,
칭다오한글학교

팬데믹이란 시절을 무사히 넘은 우리가
바라봐야 할 것은 '나'입니다.
2024년 칭다오 문학의 밤은
'나'를 돌아보는 시간이 될 것입니다.

제4회 칭다오 경향도서관 문학상

주제
"아무튼, OO, 나의 취미와 덕질, 나의 도피처"

자신이 좋아하는 것을 자신만의 관점으로
풀어보시길 바랍니다.